CÉSPED

Una guía esencial para el cuidado y la renovación del césped
de todo tipo de jardines

Martha Álvarez
con la colaboración de Verónica Urien

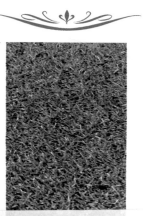

ALBATROS
Jardinería Práctica

Edición
Cecilia Repetti

Asistente de edición y corrección
Guadalupe Rodríguez

Dirección de arte
María Laura Martínez

Diseño y diagramación
Andrés N. Rodríguez
Gerardo Garcia

Ilustraciones
Andrés N. Rodríguez
Sergio Multedo

Fotografías
Verónica Urien

Césped
1ra. edición – 5000 ejemplares
Impreso en LATINGRÁFICA S.R.L.
Rocamora 4161, Buenos Aires, Argentina
Junio 2006
ISBN-10: 950-24-1150-1
ISBN-13: 978-950-24-1150-7

Agradecimientos

Agradecemos a todos los que de algún modo participaron en este proyecto editorial y especialmente al Ingeniero Agrónomo Eduardo Stafforini de la Sociedad Argentina de Paisajistas, al Licenciado Martín Méndez de la Empresa Picasso S.A., al Ingeniero Agrónomo Gustavo Picasso de Picasso S.A., al Ingeniero Agrónomo Ricardo Fuente de New Grass Matheu - Provincia de Buenos Aires, al Profesor Dr. Daniel Cabral del Laboratorio de Micología y PRHIDB -CONICET-, al Departamento de biodiversidad y biología experimental, Facultad de Ciencias Exactas y Naturales, UBA -Ciudad Universitaria; al Departamento de Huerta Experimental de la Facultad de Agronomía de la Universidad de Buenos Aires y a la Técnica Gabriela Escrivá.

A mi hijo Raúl Ostner

Unas palabras

La forma de encarar la implantación de una carpeta de césped para un espacio verde ha cambiado, básicamente, en lo concerniente a la elección y selección de las especies.

La influencia mundial de los jardines naturales viene de Holanda gracias a Jac Thijsse, quien creó en Bloemendaal (Haarlem) un parque natural con bosques, respetando la flora silvestre holandesa y la pradera natural. La idea consistió en no luchar contra la naturaleza sino incorporarla, pero con mantenimiento.

En la Argentina, aún no ha llegado a ser aceptado el jardín natural, pero se han originado cambios, como la incorporación de las técnicas de resiembra de pastos tropicales sobre carpetas implantadas con gramíneas de ciclo invernal.

Varios años atrás, los estudios preliminares del Departamento Técnico de la Dirección de Paseos de la Ciudad de Buenos Aires se realizaban sobre la base de fórmulas exitosas en otros países. El césped germinaba, pero después no avanzaba y la gran mayoría de las plantas se perdía.

Las causas del fracaso de las especies eran tres: se trataba de terrenos poco o mal trabajados, pobres en materia orgánica y nutrientes, compactados y con bajo nivel de mantenimiento; eran semillas importadas; y no soportaban el excesivo pisoteo.

Frente a esta situación, los parques y plazas comenzaron a ser cuidados por empresas privadas bajo un sistema de padrinazgo. Se seleccionaron híbridos de mayor resistencia al frío, que amarillean menos en el invierno, y, en poco tiempo, se lograron superficies uniformes, de color verde brillante.

Esto demuestra que la pauta del trabajo exitoso con plantas, sobre todo si se trata de espacios verdes públicos, es elegir aquellas especies de buena adaptación al lugar, rústicas y sin problemas de enfermedades y plagas.

Martha Álvarez

CAPÍTULO

1

El césped y
las plantas
cubresuelos

Capítulo 1

El césped y las plantas cubresuelos

Características botánicas

El grupo de plantas cespitosas, llamadas comúnmente pastos, posee características botánicas que lo distinguen del resto de las gramíneas, básicamente por su facilidad para reponerse de los pisoteos, por su crecimiento erguido, matoso, su adaptación a los cortes frecuentes y la rusticidad frente a las temperaturas bajas.

El césped es una asociación de plantas de la familia botánica de las gramíneas, orden de las monocotiledóneas. Constituye una de las familias botánicas más numerosas del reino vegetal, pues presenta unos 600 géneros y 10.000 especies. (Parodi, Lorenzo, "Botánica sistemática" en *Enciclopedia Argentina de Agricultura y Jardinería*, Tomo I, Buenos Aires, Acme Agency, 1974). La mayoría de estas especies integra el grupo cerealero/forrajero, alimenticio o industrial, etc. Pero también algunas se usan en composiciones ornamentales, a saber: *Arundo donax,* variedad versicolor (caña de Castilla ornamental, de follaje verde y con franjas longitudinales blancas); *Arrhenaterum bulbosum,* variedad variegatum (avena bulbosa); *Bambusa multiplex* (bambú enano, bambú crespo); *Festuca ovina*, variedad glauca; *Lagurus ovatus; Pennisetum purpureum* (pasto elefante); *Pennisetum villosum* (cola de zorro); *Phillostachys aurea* (bambú amarillo).

Arundo donax, *variedad versicolor (caña de Castilla ornamental).*

Bambusa multiplex *(bambú enano; bambú crespo).*

Lagurus ovatus.

Pennisetum purpureum *(pasto elefante).*

Pennisetum villosum *(cola de zorro).*

Phillostachys aurea *(bambú amarillo).*

En realidad son sólo unos pocos géneros (alrededor de 10 ó 15) los que se usan como césped, porque deben reunir ciertas características especiales, por ejemplo:

- formar mata densa, cespitosa;

- resistir los pisoteos y las adversidades climáticas;

- adaptarse a los cortes continuados;

- comportamiento positivo frente a la competencia con las otras plantas;

- resistencia al arranque en los juegos deportivos;

- rusticidad frente a las plagas y enfermedades.

Estas características requeridas son la razón del origen de las mezclas, porque las especies no responden a todo el listado de exigencias, sino que cada una presenta algunos de los puntos, y al reunirse en una mezcla, se compensan las condiciones de una y otra especie.

Poa pratensis.

Lolium perenne. *Detalle de semillas.*

Festuca *excel 2-Turf Type.*

Pennisetum clandestinum *(Kikuyo) con acelerador de crecimiento.*

Géneros y especies de gramíneas usadas comúnmente para césped		
Género	**Especie**	**Nombre común**
Agrostis	tenuis	Colonial bent grass agrostis
	stolonifera	Creeping bent grass agrostis
Axonopus	compressus	Grama brasilera; pasto de los Jesuitas; carpet grass
Festuca	arundinacea	Festuca alta
	rubra	Red fescue
	rubra ssp. commutata	Chewing fescue
	rubra ssp. rubra	Red fescue
Lolium	perenne	Rye grass perenne o inglés
	multiflorum	Rye grass anual
Paspalum	notatum	Bahia grass
Pennisetum	clandestinum	Kikuyo
Poa	pratensis	Poa de los prados
	trivialis	Poa común
Stenotaphrum	secundatum	Gramillón; pasto de San Agustín
Zoysia	japónica	Zoysia

Dichondra repens.

Plantas cubresuelos

Cabe destacar que en los jardines con pocas posibilidades de sol, un recurso muy interesante lo constituyen las plantas cubresuelos. Algunas tienen follajes disciplinados, como *Lamium galeobdolon* y *Lamium maculatum*; otras son de follaje vistoso, como las hiedras; otras pueden hacer contraste con las primeras, como la *Ajuga reptans* de tres colores amarillento, verde y rosado (variedad tricolor), etc. No importa la variedad, la condición indispensable es que reciban mucha luz o algún momento de sol.

Cubresuelos herbáceos para lugares húmedos y de media sombra			
Nombre común	Nombre botánico	Multiplicación	Características
Ajuga	*Ajuga reptans*	Semilla; división de matas por estolones.	Hasta 20 cm de altura; floración en verano; flores lilas y purpúreas; planta perenne, hoja verde oscura.
Oreja de ratón	*Dichondra repens*	Semilla; división de matas; estolonífera.	Perenne; forma muy buena carpeta en la media sombra con humedad; es la planta más usada.
Paragüitas	*Glechoma hederácea*	Semilla; división de matas.	Perenne, exige humedad constante; rastrera.
Soleirolia	*Helxine soleirolii*	División de matas.	Rastrera, exige humedad; perenne.
Lamium	*Lamium galeobdolon*	División de matas.	Rastrera; flores amarillas; hojas aovadas con mancha plateada en el centro; perenne.
Lamium	*Lamium maculatum*	División de matas.	Rastrera; flores rojizas; hojas cordado obtusas; perenne.
Menta de los gatos	*Nepeta mussinii*	División de matas; semillas.	Flores azules en primavera verano; hojas pubescentes.
Saxifraga	*Saxifraga caespitosa*	División de matas.	Cespitosa-perenne; 10 a 15 cm de altura; flores blancas.
Vinca pervinca	*Vinca major*	Gajos o división.	Florece en primavera/ otoño; perenne; 20 cm de altura; flores lila; planta rastrera.
Vinca	*Vinca minor*	Gajos o división.	Perenne; flores blancas.
Flor de Santa Lucía	*Tradescantia fluminensis*	Gajos.	Perenne; rastrera; flores blancas.
Flor de Santa Lucía	*Tradescantia virginiana*	Gajos.	Perenne; rastrera; flores azules.

Dichondra repens *(oreja de ratón) es el cubresuelos más común para reemplazar al césped en zonas sombrías y húmedas.*

Cubresuelos herbáceas para lugares soleados

Nombre común	Nombre botánico	Multiplicación	Características
-	*Cerastium tomentosum*	Semillas; división de matas.	Follaje glauco; 20 a 30 cm de altura; hojas oblongas o linear/ lanceoladas de 1 a 2 cm de diámetro, de color blanco tomentosas; flores blancas en primavera.
Garra de león	*Mesembryanthenum edule*	Gajos.	Perenne; rastrera; flores amarillas, rojizas y lilas.
-	*Setcreacea purpúrea*	Gajos.	Perenne; follaje rojo.
Oreja de conejo	*Stachys lannata*	División; gajos.	Perenne, rizomatosa; tomento denso gris.

Manto de hiedra en un sector de media sombra.

Hedera helix. *Cubresuelos que en condiciones de pleno sol, reduce el tamaño de sus hojas y el color se vuelve más claro.*

Ventajas y desventajas de las plantas cubresuelos

Ventajas	Desventajas
• No requieren tanto control de enfermedades y plagas; cortes periódicos, etc. • Ofrecen varios motivos para su elección como el follaje disciplinado del *Lamium maculatum*, el follaje grisáceo del *Stachys lannata*, o el rojizo de la *Setcreacea purpúrea*. • Son rústicas y pueden cubrir taludes, desniveles, paseos públicos, etc.	• No pueden ser pisadas y no forman una carpeta uniforme como el césped. • Deben tener un mantenimiento continuo de fertilización, cortes, aireación, desmalezado, riegos, etc. porque sino se pierde el aspecto uniforme y prolijo de una carpeta.

Tipos de coberturas

Césped ornamental o suntuario: es aquel que cubre las expectativas estéticas del diseño con el objetivo de ofrecer la belleza del color, textura, brillo y uniformidad de la carpeta. Estos céspedes no se pisan, sirven para preparar exposiciones de plantas y flores, cubrir un *parterre* o acompañar un dibujo de bordado *(broderie)*. Se utilizan céspedes de hojas finas a muy finas como *Festuca rubra, Agrostis tenuis,* o híbridos de *Cynodon dactylon (Bernuda grass).*

Césped funcional o utilitario: es el que puede soportar el pisoteo de niños, adolescentes y adultos en las áreas recreativas y deportivas de clubes o paseos públicos y privados. Los hay muy rústicos como: *Festuca arundinacea (Festuca* alta) tipo césped; híbridos de *Cynodon dactylon (Bermuda grass); Pennisetum clandestinum (Kikuyo);* y medianamente rústicos como *Lolium perenne; Festuca rubra y Poa pratensis.*

Césped de ambos usos: por ejemplo, el *Rye grass* que se lo puede usar integrando mezclas deportivas y también solo, como especie ornamental, dado su color verde claro luminoso y brillante.

Pradera natural: es una cobertura con gramíneas y no gramíneas, que con el mantenimiento basado en cortes periódicos, fertilización y desmalezado, puede llegar a constituir una carpeta verde ornamental. Es un recurso para lugares de fin de semana en quintas de gran extensión, donde el mantenimiento del césped resultaría más costoso.

Plantas cubresuelos: es un recurso para cubrir lugares escarpados y taludes.

Piedra bola, rocas, piedra laja, cantos rodados, etc.: son recursos para lugares o rincones que no reciben sol. Pueden ayudar a complementar una carpeta de césped en lugares poco aconsejables (como lo son los sombríos) para las gramíneas heliófilas.

Espacio verde público (césped ornamental).

CAPÍTULO
2

Suelos y enmiendas

Capítulo 2 Suelos y enmiendas

El estudio del suelo

Está referido a distintas evaluaciones, algunas prácticas sencillas como la observación del comportamiento del suelo con la lluvia, y otras de laboratorio, tendientes al reconocimiento del suelo para la implantación de una carpeta de césped.

El estudio del suelo en un proyecto de jardín es la tarea básica y más importante aún, tratándose del césped de un cultivo intensivo con gran densidad de siembra, que va a constituirse en ese lugar por un tiempo prolongado.

El suelo, se define como "la capa superficial de la corteza terrestre donde viven y se desarrollan las plantas". Es una capa de profundidad variable y características propias.

En los suelos francos, humíferos y buenos, la capa superficial puede llegar a tener una profundidad aproximada de 30 cm, y en ella se encuentran las raíces finas de las plantas herbáceas, las raíces gruesas de las leñosas, la materia orgánica (humus) que da el color oscuro característico de los buenos suelos y abundante cantidad de microflora y microfauna. En la microflora se encuentra una gama amplia de organismos útiles, pues los suelos buenos contienen microorganismos benéficos que realizan todas las transformaciones de los residuos orgánicos y ayudan a formar la estructura granular con las sustancias que producen, uniendo así las partículas minerales del suelo, complementando la acción del calcio, el humus, la humedad, y las labranzas en la formación de los gránulos.

Microflora del suelo	
Microorganismos	**Características**
Bacterias fijadoras del nitrógeno atmosférico.	Las bacterias son organismos unicelulares que se encuentran formando nódulos (colonias) en las raíces de las leguminosas: tréboles, vicia, alfalfa, etc., y viven en simbiosis con las plantas.
Bacterias del azufre.	Oxidan los compuestos del azufre.
Bacterias nitrificadoras.	Forman nitratos a partir de los residuos orgánicos (nitrosomonas y nitrosococus).
Actinomicetos.	Son muy numerosos y se desarrollan en la humedad en suelos bien aireados y con materia orgánica a la que descomponen contribuyendo a la formación del humus.

Microfauna del suelo

Microfauna	Características	Acción sobre las plantas
Nematodos	Gusanos con forma de hilos que se hallan en gran cantidad en los suelos. Existen tres grupos: los que viven sobre la materia orgánica; los que atacan las raíces de las plantas; y los que atacan otros al tallo y a las hojas.	El grupo que ataca las raíces de las plantas es muy destructivo para el césped (heterodera).
Lombrices de tierra	Son de color rosado. Digieren la materia orgánica del suelo pasándola por su tubo digestivo.	Producen un material como el humus, rico en nitrógeno, en calcio, magnesio y fósforo. Como aspecto negativo, realizan canales rompiendo la capa superficial del césped y creando un ambiente propicio para los hongos.
Julius, bicho bolita, caracoles	Son labradores del suelo.	Hacen canales, dejan detritus y sirven de ambiente para hongos patógenos.

Lumbricus terrestris *(lombrices comunes - anélidos).*

Bicho bolita (Armadillium vulgare - crustáceo).

Julius *(mil pies - diplopodos).*

Gusanos *(larva de coleópteros).*

Caracol (Helix sp - gasteropodos).

Los organismos que componen la microfauna tienen una función de labradores del suelo, abriendo canales, aireando e incorporando, como en el caso de las lombrices, materia orgánica digerida que es utilizada por las plantas. El aspecto de un buen suelo es liviano, desgranable y de color oscuro por la presencia de humus. Estos suelos son permeables, dejan pasar el aire entre las partículas, tienen buen drenaje y son fáciles de cultivar.

Cuando los suelos son malos, están compactados, de color y aspecto gredoso, no son permeables, tienen mal drenaje, son difíciles de cultivar y los agregados son cascotosos, especialmente cuando se secan luego de una lluvia.

Otra tarea a realizar al comenzar un proyecto de implantación de césped consiste en estudiar el terreno, los desniveles y las zonas bajas, observándolo después de una lluvia para ver cuánto tiempo tarda en desalojar el agua retenida.

En los suelos con buena permeabilidad se van eliminando de 2 a 4 cm de agua cada una hora. Pero cuando las cantidades están muy alejadas de estas cifras y el agua queda mucho tiempo en la superficie se trata de suelos muy compactados y de mal drenaje.

Otras observaciones a tener en cuenta son las referidas al tipo de malezas en el lugar. Las malezas variadas, vigorosas y de hojas grandes están indicando un suelo que responde a distintas exigencias de las plantas, como por ejemplo a la cantidad de materia orgánica, nutrientes, humedad, etc.

Un terreno con malezas de hojas finas, formando comunidades, como los juncos y las ciperáceas cerca de las lagunas, está indicando un suelo pobre, anegadizo, con poca disponibilidad de condiciones para una amplia gama de plantas.

En síntesis, antes de programar la implantación de una carpeta de césped, por el sistema de siembra, gajos o tepes, habrá que analizar primero el tipo de suelo, las especies que formarán la carpeta, y los costos de implantación y mantenimiento.

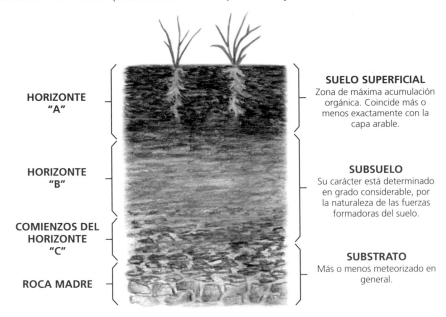

HORIZONTE "A"	**SUELO SUPERFICIAL** Zona de máxima acumulación orgánica. Coincide más o menos exactamente con la capa arable.
HORIZONTE "B"	**SUBSUELO** Su carácter está determinado en grado considerable, por la naturaleza de las fuerzas formadoras del suelo.
COMIENZOS DEL HORIZONTE "C"	**SUBSTRATO** Más o menos meteorizado en general.
ROCA MADRE	

Deterioro y recuperación del suelo

El suelo es un organismo vivo que puede deteriorarse y también recuperarse.

Se deteriora por las malas prácticas agrícolas, es decir por trabajarlo cuando está húmedo, mojado o muy seco. En estos casos se rompe la estructura u organización de las partículas en gránulos, pero puede recuperarse incorporando materia orgánica como estiércol de animales de granja, especialmente de vaca o de caballo, abonos verdes, mantillos de jardín, compost, humus de lombrices, rastrojos, etc., y también trabajándolo fuera de los momentos de lluvias o extremadas sequías.

Suelos muy malos con baja fertilidad.

Textura y estructura del suelo

Las condiciones físicas del suelo están basadas en la textura o tamaño de las partículas y en la estructura u organización en agregados o gránulos de las mismas.

Las dimensiones de las partículas minerales del suelo que definen la textura pueden observarse a simple vista, como las arenas de 2 mm de diámetro, o ser invisibles incluso al microscopio común, como es el caso de las partículas de arcilla, con menos de 2 mm de diámetro. Los gránulos se forman cuando en el suelo hay materia orgánica suficiente y por ende humus, que trabaja como cementante de las partículas minerales entre sí. La misma función tiene el calcio del suelo, pero es indispensable también que exista humedad y vida biológica, que producen sustancias que unen las partículas.

Cuando un suelo tiene estructura granular o migajosa, se dice que es un suelo de buenas propiedades físicas, es decir liviano, no se apelmaza, no es plástico, deja pasar el agua y el aire por entre los agregados, tiene por ello buen drenaje y permeabilidad y por eso se dice que es bueno para los cultivos.

La textura y la estructura son las condiciones físicas del suelo a partir de las cuales entran en relación propiedades básicas para los cultivos como la aireación, el buen drenaje, el desarrollo radicular, entre otras.

Distintas formas que toman los agregados o reunión de partículas

Las partículas minerales del suelo se unen o agregan por acción de la materia orgánica, laboreos, presencia de calcio, organismos, etc. Esto se produce de distinta forma en suelos ricos y bien trabajados o pobres en materia orgánica: en los primeros, las partículas forman agregados redondeados, globulares; y en suelos desgastados o agotados se forman agregados duros, sin bordes redondeados y pegoteados donde no circula el aire ni hay buena permeabilidad.

Piramidal
(cimas planas)

Manifestaciones corrrientes del subsuelo. Común en suelos de las regiones áridas y semiáridas.

Cascotes
(forma cúbica)

Estas formas son comunes en los subsuelos densos, sobre todo en los de las regiones húmedas.

Granulos
(porosa)

Característica de la capa arada. Sujeta a grandes y rápidos cambios.

Gránulos: agregados redondeados que dejan un espacio entre uno y otro por donde circula el aire y el agua (estructura granular).

En bloque o cascotes: tienen paredes lisas y se pegan entre sí; indican suelos malos y los agregados no son redondeados.

Piramidal: característica del Horizonte "B" o subsuelo; son masas compactas gredosas, longitudinales, con hendiduras verticales originadas por el lavado del agua y las sales que ocurre naturalmente en el suelo.

Clasificación del suelo según la textura

Textura	Tipo de Suelo	Características
Gruesa	Suelos arenosos	Son livianos, fáciles de trabajar; tienen muy buen drenaje; son pobres en nutrientes; deben recibir abundantes cantidades de materia orgánica. Son suelos de colores claros; se deben mezclar con enmiendas para el entepado o la siembra en los green de golf.
Media	Suelos francos	Son suelos equilibrados en sus componentes. Son más oscuros por la presencia de materia orgánica (humus), sobre todo cuando están húmedos. Se desmenuzan fácilmente entre los dedos.
Fina	Suelos arcillosos	Son pesados para trabajarlos; húmedos; y muy oscuros cuando están húmedos. Son suelos ricos en nutrientes por la actividad de las arcillas; ensucian mucho las manos.

La textura está relacionada con el tamaño de las partículas minerales que componen el suelo. La situación ideal son los suelos francos de textura media:

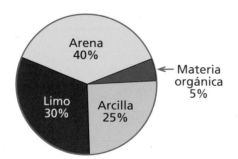

Arena 40%
Materia orgánica 5%
Limo 30%
Arcilla 25%

Para implantar un césped el factor más importante a tener en cuenta es la calidad del suelo. Si un suelo con sus características físicas y químicas no provee a las plantas aireación, agua y nutrientes, las raíces tendrán poco desarrollo y la parte aérea expresará sus carencias a través de los siguientes signos:

- Poca densidad en el follaje;
- Áreas peladas en la carpeta de césped;
- Follaje opaco, sin brillo;
- Amarillamientos;
- Manchas (enfermedades);
- Caída de las plantas, poca rigidez en los tejidos.

En los suelos pobres en materia orgánica y de naturaleza arcillosa, el agua y el aire no circulan libremente entre los agregados porque estos se achatan por falta de materia orgánica y se forman estructuras cascotosas. Las raíces mueren en estas condiciones.

Suelos con césped quemado por exceso de fertilizantes.

Suelos bajos con ciperáceas.

Detalle de campo con ciperáceas.

Suelos salinos.

Suelo pobre, salino y sin materia orgánica.

Suelos sin mantenimiento, invadidos por malezas.

Vista general, terreno bajo.

Técnicas para identificar el tipo de suelo según la textura

Teniendo en cuenta los siguientes pasos de esta técnica sencilla se puede llegar a identificar el tipo de suelo que tiene el jardín.

Se extrae una muestra de suelo de la superficie (capa de 20 a 30 cm de profundidad).

Se trabaja una porción de suelo en la palma de la mano con un poco de agua.

Se realiza una cinta o choricito de unos 3 mm de diámetro y 10 cm de largo.

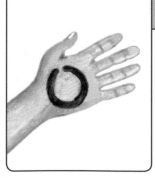

Luego, se moldea para formar un anillo, observando los siguientes puntos:

A

Si puede hacer la cinta de 3 mm de grosor y 10 cm de largo, sin dificultad y enrollarla como un aro, se trata de un **suelo arcilloso** de superficie lisa y brillante. Las manos quedan sucias. Estos suelos absorben bastante agua para ser moldeados. Al hacer el anillo, la cinta no se rompe.

B

Si al trabajar la cinta con 3 mm de grosor y 10 cm de lago se puede hacer el anillo, pero la superficie se presenta cortada y el aro también, se trata de un **suelo franco**, fácil de trabajar. Las manos se ensucian poco. Con agua se tornan más oscuros y cuando están secos se desgranan con facilidad.

C

Si al trabajar la cinta de 3 mm de grosor y 10 cm de largo, no se aglomera ni se puede hacer la cinta, ni el aro, son **suelos arenosos**, que no ensucian las manos y no absorben el agua. Son suelos pobres en materia orgánica y nutrientes, pero muy buenos físicamente.

Composición del suelo

El suelo normal está compuesto por 45% de materia mineral, 5% de materia orgánica, 25% de agua y 25% de aire.

El agua y el aire se alojan en los espacios que quedan entre las partículas, que se denominan poros; estos pueden ser muy pequeños y numerosos, como en los suelos arcillosos, y se los llama microporos, o pueden ser grandes y se los denomina macroporos, como en los suelos arenosos. En los suelos normales se encuentran macro y microporos en cantidades equilibradas.

La cantidad de aire (25%) y agua (25%) del suelo varía de acuerdo con las lluvias y los riegos, además de depender de la naturaleza del suelo. La materia mineral se origina en el material madre o roca madre del lugar y puede ser granítica, como en el suelo de Tandil y Sierra de la Ventana, o puede estar formada por material sedimentario o loess, como en el resto de la provincia de Buenos Aires.

La materia mineral del suelo está formada por partículas gruesas, medianas y finas.

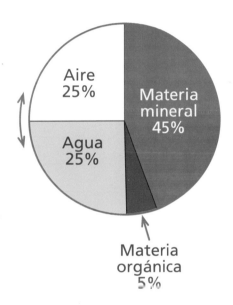

Clasificación de las partículas del suelo
(según Buckman y Brady en *Naturaleza y Propiedades de los Suelos*, Barcelona, UTEHA, 1967).

Partículas del suelo	Diámetros en mm
Arenas muy gruesas	2 - 1
Arenas gruesas	1 - 0,50
Arenas medias	0,50 - 0,25
Arenas finas	0,25 - 0,10
Arenas muy finas	0,10 - 0,05
Limo	0,05 - 0,002
Arcilla	Menos de 0,002

Los suelos de textura gruesa, como los arenosos, son livianos y fáciles de trabajar; dejan pasar rápidamente el agua y el aire entre sus partículas. No se compactan, por lo cual las raíces tienen un mejor desarrollo en presencia de humedad. Estos suelos son de buenas propiedades físicas y malas propiedades químicas.

Los suelos de textura fina, como los arcillosos, son aquellos que presentan un predominio de partículas finas. Son suelos ricos químicamente, retienen el agua y los nutrientes, pero son muy difíciles de trabajar y fáciles de compactar.

Los suelos de textura media, como los francos, son aquellos en que las partículas gruesas, medias y finas se encuentran en equilibrio. Los suelos muy pesados no convienen para la siembra y/o plantación del césped, ya que el césped es un cultivo permanente de gramíneas con gran densidad de siembra que compite por la humedad, los nutrientes y la permanencia del aire en el suelo. Por eso en la preparación del terreno se usan con éxito las mezclas con arena, que aligeran el suelo, tanto en el caso de los céspedes de jardines como en la preparación de canchas de golf, muy especialmente en los green.

Exigencias de las especies

Especies	Suelos	Sol / media sombra	Humedad	Temperatura
Agrostis sp.	frescos	sol	sí	fresca
Festuca alta	rústicos	sol / media sombra	soporta sequías	normal
F. rubra ssp. rubra	normales	sol / media sombra	soporta poco riego	tolera frío
F. rubra ssp. commutata	normales	sol / media sombra	soporta poco riego	tolera frío
F. rubra longifolia	normales	sol / media sombra	soporta poco riego	fresca
Lolium perenne	fértiles	sol	sí	fresca
Poa pratensis	fértiles	sol / media sombra	soporta sequías	normal

Enmiendas orgánicas

Las enmiendas orgánicas son materiales derivados de los residuos de naturaleza orgánica (vegetales y animales), que incorporan nitrógeno orgánico y humus al suelo, protegiéndolos de la pérdida de la humedad y promoviendo el desarrollo de las plantas.

Pila de residuos preparados para la producción de compost (Departamento de Agricultura Orgánica, Facultad de Agronomía, UBA).

Enmiendas o materiales orgánicos
usados en la preparación del terreno para la siembra y/o plantación del césped

Enmiendas	Usos y características	Propiedades
Estiércol vacuno	Bien descompuesto, se incorpora desmenuzado en los primeros 15 cm del suelo, con pala, azada o rototiller en los espacios grandes.	Rico en materia orgánica, flora microbiana y agua. Aligera los suelos arcillosos y aglomera los arenosos.
Abonos verdes (duración: 3 meses)	Plantas leguminosas y gramíneas (avena, *Melilotus*, *Vicia* y otras) que se cultivan con gran densidad de siembra para formar un colchón verde, que se incorpora al suelo antes de que florezcan. El material no se cubre del todo para que actúen las bacterias aerobias de la descomposición.	Incorporan materia orgánica, nitrógeno de las colonias de Bacillus radicícola de las raíces. Mejora las condiciones físicas del suelo mediante la acción de las raíces pivotantes de las plantas que cortan verticalmente la capa superficial.
Mantillos de jardín (duración: 5 a 8 meses según el tipo de los residuos)	Estratificación de residuos verdes livianos como cortes de césped, restos de cultivos, podas herbáceas, etc. Se debe intercalar una capa de residuos verdes de 20 cm aproximadamente con una capa de 5 cm de tierra para compactar el material e incorporar la flora microbiana para la descomposición. Se riegan las capas, se cubren con tierra y luego con chapas. Una vez obtenido el producto final se pasa por un tamiz de 2 mm.	Finalizada la descomposición de la materia orgánica se obtiene un producto oscuro, desgranable y húmedo, semejante a la resaca que es el humus, que actúa sobre las propiedades físicas del suelo, haciendo más livianos los arcillosos y agregando los arenosos, creando mejores condiciones para el aprovechamiento de nutrientes.
Mantillo de estiércol (compost) (duración: 4 a 5 meses según los residuos)	Estratificación de residuos verdes (20 cm) con tierra (5 cm); capas de estiércol vacuno en unos 10 cm de espesor. Se riegan las capas y se cubre todo finalmente con tierra, chapas, lonas, etc. Se puede agregar lechada de cal para evitar la proliferación de los hongos (un puñado de cal apagada por regadera de 12 litros de agua que se usa para regar las capas).	Aporta nitrógeno, humus y mayor porcentaje de materia orgánica que el de jardín. El proceso levanta mayor temperatura (72 °C) en los primeros días. Se usa para aflojar los suelos pesados y formar agregados.
Estiércol fresco	Se usa cada 2 m² de superficie una carretilla de estiércol vacuno fresco; se esparce y se deja unos 2 meses, luego se incorpora en la capa superficial del suelo como estiércol pajizo. Se usa el de vaca, porque tiene más agua que el de equino y se descompone más rápido. Si el lugar es extenso se hace la tarea con rototiller.	Aporta nitrógeno, humus, flora microbiana y materia orgánica, muy bueno para aflojar suelos pesados, agregar los arenosos y mejorar las condiciones de los suelos salinos.
Estiércol maduro o descompuesto	Se estaciona el estiércol fresco en un lugar aireado y protegido, se tapa con tierra y chapas para evitar que se lave y a los 2 meses se lo comienza a usar. Tiene aspecto pajizo. Es muy útil para las plantas.	Aporta nitrógeno, materia orgánica y flora microbiana. Se lo puede usar en las mezclas de tierra y en la preparación del terreno para la siembra y/o plantación.

Paso a paso en la preparación de un mantillo de jardín

1- Elegir un lugar reparado y con media sombra (que evita la desecación del conjunto) para preparar una caja de drenaje: marcar sobre la superficie del suelo un cuadrado de 1 m (como mínimo) o 2 m de lado, de acuerdo con el lugar y la cantidad de residuos que se dispongan.

2- Preparar la caja excavando hasta una profundidad de 0,30 a 0,40 m, disponiendo ramas gruesas entrecruzadas a manera de colchón aislante. Esta caja recibirá los líquidos provenientes de la descomposición, evitando las putrefacciones.

3- Distribuir residuos verdes, seleccionados y picados, sobre esta superficie de ramas, en capas de 20 cm de espesor. Cada capa, acomodada con horquilla, se debe pisar para darle cierta compactación.

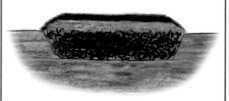

4- Cubrir cada capa de residuos con tierra negra, en un espesor de entre 2 y 4 cm (para compactar y proveer la flora microbiana) y regar.

5- Disponer de esta forma todo el material, alternando residuos y tierra negra. La altura total de la pila debe ser de 1 a 2 m, ya que después de la descomposición queda sólo un 30% útil. Es necesario regar cada capa a fin de obtener la humedad necesaria para la descomposición de los residuos.

6- Cubrir con chapas u otro material de cobertura, para proteger del lavado y enfriamiento que producen las precipitaciones.

7- Controlar periódicamente (humedad, aireación y temperatura).

Reacción del suelo

La reacción del suelo o pH es la medida de la concentración de los iones hidrógenos que acompañan siempre a los ácidos. El agua es neutra porque la concentración de sus iones hidrógenos (H) y oxidrilos (OH) es igual a la medida del pH. En la neutralidad el pH es 7.

El conocimiento del pH es importante porque expresa la disponibilidad de nutrientes. Así por ejemplo, el pH ácido (4 a 6,5) es posible encontrarlo en el suelo con abundante cantidad de hierro (Fe) en estado soluble, por ende disponible para las plantas. Pero a medida que el pH asciende, el hierro pierde solubilidad porque se forman otros compuestos y las plantas muestran síntomas de clorosis o amarillamiento foliar por déficit de hierro.

Un suelo con pH ligeramente ácido (6,5) tiene la cantidad necesaria de hierro para la mayoría de las plantas. Cuando el pH es ligeramente alcalino se encuentra el fósforo (P) en mayor cantidad que en la acidez, donde está formando compuestos insolubles y por lo tanto no disponibles para las plantas. En la neutralidad se encuentran compuestos de fosfatos mono y bicálcicos solubles. En la acidez, la mayoría de los microelementos están formando compuestos solubles y disponibles para las plantas.

Las bacterias nitrificadoras que forman nitratos a partir de la descomposición de la materia orgánica requieren un pH ligeramente ácido a neutro, por lo cual en ese rango estarían cubiertas casi todas las necesidades de las plantas.

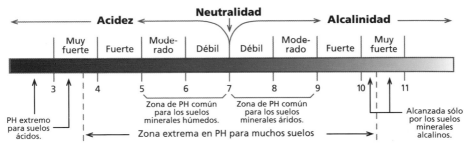

Diagrama mostrando la zona extrema de ph para la mayoria de los suelos minerales.

Técnica para la determinación del pH por métodos colorimétricos

El método colorimétrico es aquel que utiliza los cambios de color de una cinta embebida en un determinado reactivo al entrar en contacto con la solución del suelo, cambiando su color por otro que corresponde a un determinado pH. Luego, esto se verifica en una tabla de colores, por ejemplo, la del reactivo Merck, en la que el verde musgo corresponde a la neutralidad, el rojo a la acidez y el azul a la alcalinidad.

El reactivo universal de Merck se vende líquido o embebido en una cinta enrollada en una ruedita con los colores de las gamas del pH. En cada análisis se extrae un trozo de la cinta. Es un método estimativo, útil para ubicarse en un diagnóstico aproximado.

Pasos en la determinación del pH en una muestra de suelo por colorimetría

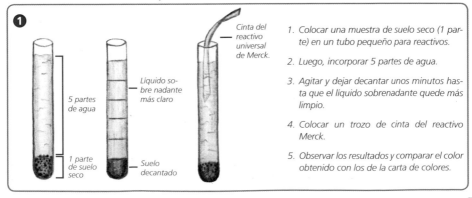

1. Colocar una muestra de suelo seco (1 parte) en un tubo pequeño para reactivos.

2. Luego, incorporar 5 partes de agua.

3. Agitar y dejar decantar unos minutos hasta que el líquido sobrenadante quede más limpio.

4. Colocar un trozo de cinta del reactivo Merck.

5. Observar los resultados y comparar el color obtenido con los de la carta de colores.

Determinación del pH con sulfato de bario para clarificar el líquido sobrenadante

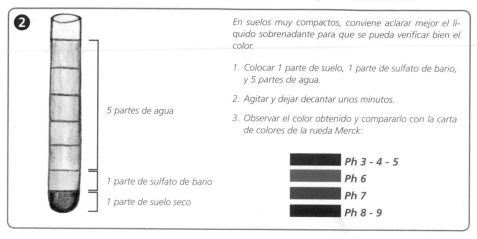

❷

5 partes de agua

1 parte de sulfato de bario

1 parte de suelo seco

En suelos muy compactos, conviene aclarar mejor el líquido sobrenadante para que se pueda verificar bien el color.

1. Colocar 1 parte de suelo, 1 parte de sulfato de bario, y 5 partes de agua.

2. Agitar y dejar decantar unos minutos.

3. Observar el color obtenido y compararlo con la carta de colores de la rueda Merck:

- Ph 3 - 4 - 5
- Ph 6
- Ph 7
- Ph 8 - 9

Corrección del suelo

Cuando el suelo empleado para implantar el césped está agotado por usos continuados, tiene aspecto lavado, compactado, sin el color oscuro característico de la materia orgánica; tampoco tiene estructura granular, y la capa superficial se vuela con el viento o es anegadizo después de las lluvias. Para mejorar esto habrá que realizar una serie de labores culturales un tiempo antes de la siembra o plantación del césped.

La corrección puede estar enfocada a la modificación de las malas condiciones físicas del suelo, como la estructura y la textura, o a las deficiencias en nutrientes; pero casi siempre se enfoca en ambas cosas a la vez, pues están relacionadas entre sí.

Materiales para mejorar la estructura y la textura

Suelos	Materiales	Cantidad
Arcillosos	Arena de río gruesa Estiércol y compost	20 - 30 m3 / 100 m2 8 -10 kgr / m2
Arenosos	Estiércol y compost	8 -10 kgr / m2

Corrección de la acidez del suelo

Suelos	Materiales	Cantidad
Ácidos	Caliza (carbonato de calcio) de granulometría muy fina. Las enmiendas de harina de huesos y los fertilizantes, como los superfosfatos de calcio bajan la acidez del suelo.	Según el grado de acidez en general: 15 kgr caliza /100 m2. Es una cantidad estimativa pues se requiere una determinación de laboratorio para ver el pH actual de la solución del suelo y el pH potencial de los hidrógenos retenidos por la micela de arcilla. Se debe agregar cal cuando el pH del suelo es de 4 a 4,5 o inferior. El pH de 6 o mayor no requiere encalado.
Alcalinos	Sulfato de hierro, sulfato de aluminio, azufre. Por medios naturales: mantillos ácidos de roble, aciculas de pino, turba, resaca. Fertilizantes de reacción ácida: sulfato de amonio.	Para bajar medio grado de pH se necesitan 0,5 kgr de azufre por m2 de suelo.

Topografía

La topografía es la disciplina que se ocupa de estudiar el relieve del terreno. Un suelo puede tener una topografía de terreno llano, lomado, aterrazado, con pendiente, alto, bajo, etc. La superficie puede ser resaltada en sus accidentes de desniveles o puede trabajarse hacia superficies planas. En condiciones de terrenos normales (llanos) la forma de implantación del césped puede ser por semilla, gajos o tepes; pero se dan casos de terrenos escarpados en donde se deberá utilizar la técnica de implantación de panes (tepes) o gajos.

Situaciones que pueden presentarse al implantar el césped		
Terreno plano	**Con pendiente leve**	**Muy escarpado**
Semillas	Gajos	Siembra con pistola y sustancia agregante que impulsa las semillas contra la pendiente. Se utilizan también mallas de celulosa para proteger la semilla. Una vez germinada, la malla queda libre.
Gajos	Gajos que se distribuyen sobre la superficie en pata de gallo.	-
Tepes (o panes)	Tepes sujetos con astilla de madera en cada vértice.	Igual que en el caso de la pendiente leve, pero también protegidos con malla.

Una manera de mantener la carpeta uniforme es cuidar el desarrollo de las malezas, extrayéndolas cuando son pequeñas, para evitar la extracción de plantas grandes y el poceado posterior (caso del Rumex o lengua de vaca, con raíz pivotante).

En los casos de canchas deportivas, como las de golf y muy especialmente las áreas de los *green*, el requisito de uniformidad es indispensable para que la pequeña pelota se deslice según las reglas del juego.

En estos casos, la nivelación se realiza con instrumentos ópticos o nivel y la mira o regletas que acompañan las determinaciones del profesional agrimensor.

La nivelación es muy importante en las canchas de tenis y en las de fútbol, pues más allá del tamaño de la pelota, no deben tener imperfecciones.

La nivelación en jardines se realiza mediante estacas, colocando la primera como base y dejando que sobresalgan unos 10 cm del suelo. Las siguientes estacas se colocan a intervalos de 2 m partiendo de la primera.

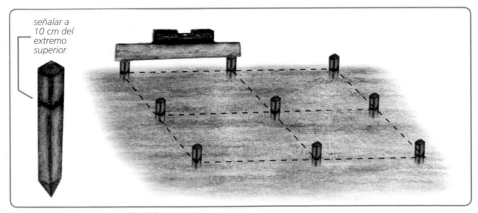

señalar a 10 cm del extremo superior

Nivelación con estacas; situación de las estacas.

Luego, se relacionan las dos primeras estacas mediante un tablón, apoyando sobre este un nivel de burbuja o de albañil para registrar la horizontalidad de las estacas.

A continuación se colocan las demás y se ajustan las alturas, bajando o subiendo las estacas, hasta que todas estén en el mismo plano horizontal. Las diferencias que surgen representan el desnivel del suelo, que se va cubriendo con tierra, para nivelar la superficie.

CAPÍTULO

3

Implantación
del césped

Capítulo 3

Implantación del césped

Formas de implantar el césped

Implica conseguir por distintos métodos una carpeta verde en un lugar determinado. Puede conseguirse por la técnica de la siembra, cuando el suelo es bueno y la superficie es extensa, o con parches de césped o tepes, o a partir de gajos, con especies de verano como la Gramilla y el Kikuyo, entre otras.

Las formas más comunes de implantación del césped son:

1. Por semillas (multiplicación por vía sexual).

2. Por gajos, estolones, rizomas, tepes, alfombras (vía asexual).

3. Por modificación de la pradera natural.

1. Implantación por semillas (multiplicación por vía sexual)

La multiplicación por semillas es el sistema más económico que forma plantas con buenas raíces. En grandes extensiones la siembra se realiza con máquinas sembradoras, y en extensiones pequeñas o medianas se puede realizar al voleo, en forma manual o con la sembradora manual.

Sembradora manual.

Máquina sembradora manual de cajón.

Lolium perenne. *Detalle semillas de* Rye grass *perenne.*

Preparación de mezcla con acelerador de crecimiento y contenido de hierro.

Preparación del terreno y siembra

1. Se limpia de malezas todo el terreno y se localizan los lugares bajos para colocar allí las cajas de drenaje. Las cajas se obtienen cavando un pozo de 20 cm x 20 cm x 40 cm de profundidad, colocando en el fondo una capa de unos 10 cm de piedras o cascotes de ladrillo más grandes, luego cascotes o piedras más pequeñas y arriba arena gruesa y finalmente la tierra.

2. Se lleva a cabo el punteado de toda la superficie. Con pala de puntear en espacios reducidos; rototiller o motocultivador en espacios medianos y tractor con arado en los espacios mayores. Se incorporan las enmiendas orgánicas (harina de huesos, estiércol pajizo, mantillos, etc.).

3. Nivelado y alisado con rastrillo o pasada de rodillo.

4. Nivelación con nivel de albañil o nivel de burbuja. Colocado sobre un tablón, se observa hacia dónde se desplaza la burbuja.

También con estacas marcadas con pintura a 10 cm de la superficie del suelo y a igual nivel de entierre (unos 20 a 30 cm de profundidad) cada una, se ata una soga en la marca y se nivela con este plano de referencia.

5. Se empareja la superficie con rastrilladas en un sentido y en otro.

6. Esparcir (en lugares chicos) resaca o, en lugares mayores, tierra negra humífera.

7. Se vuelve a emparejar con rastrillo.

8. Se divide el terreno en lonjas de 1,20 m de ancho (largo del brazo) por el largo de la superficie a sembrar y se siembra al voleo y al paso, manteniendo una uniformidad de distribución de la semilla para evitar que se formen áreas recargadas y otras muy livianas. Se trabaja usando un tablón para no hundir los tacos de los zapatos en el suelo preparado y destruir el plano de uniformidad logrado. Se realiza respetando las lonjas en que se ha dividido el terreno.

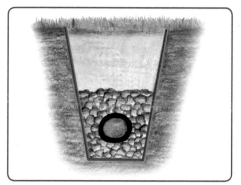

Cajas de drenaje.

Forma de emparejar el terreno con el uso de un rastrillo.

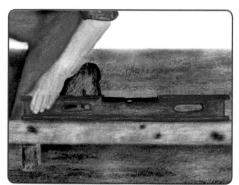

Uso del nivel de albañil o nivel de burbuja.

Forma de realizar la siembra al voleo, con la mano y al paso en terreno dividido en lonjas de 1,20 m de ancho (largo del brazo) por el largo de la superficie a sembrar. Se colocan estacas para visualizar el lugar.

9. Se cubre con rastrillo pasándolo levemente en la superficie para enterrar las semillas y se vuelve a cubrir con el mismo rastrillo, alisando luego con el lomo.

10. Regar con flor fina.

11. Proteger lo sembrado de los pájaros con hilos y chapas que se muevan y hagan ruido.

Se cubren las semillas con rastrillo.

Protección de lo sembrado para evitar destrozos de las aves.

Época	Objetivo
El suelo se prepara 1 mes antes en verano para la siembra de otoño y a fines de invierno para la siembra de primavera.	Tratar de que la siembra sea homogénea y uniforme. Teóricamente, 1 semilla o una planta por cm2.

Especies de siembra otoñal (crecimiento inverno/primaveral)	Especies de siembra a fines de invierno / comienzos de primavera (césped de crecimiento estival)
Agrostis tenuis, Agrostis stolonifera, Rye grass anual y perenne (Lolium multiflorum y Lolium perenne), Festuca rubra, Festuca arundinacea, Poa pratensis, Poa nemoralis, Poa trivialis.	Bermuda grass (Cynodon dactilon e híbridos), Kikuyo (Pennisetum clandestinum), Gramillón (Stenotaphrum secundatum), Zoysia (Zoysia japónica), Grama brasilera (Axonopus compressus).

Germinación

- El *Rye grass* germina entre 5 y 7 días.
- La *Festuca rubra* tarda unos 12 días o más, dependiendo de la temperatura.

Rye grass. *Comienzos de desarrollo luego de la siembra.*

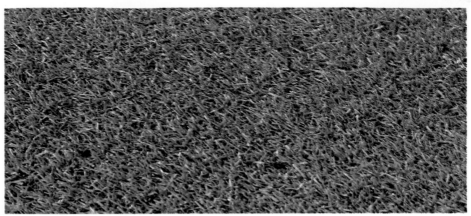

Campo con césped de 4 mm de altura.

Dosis de siembra

Se parte de una cifra ideal de una planta por cm2 de superficie. Con esta densidad, la carpeta debe estar correctamente cubierta, pero considerando las pérdidas de distinto tipo, como fallas en la germinación y en la distribución de la semilla. Entonces, se usan 2 ó 3 plantas o semillas por cm2, es decir, se aumenta la densidad de siembra. Se calcula que serían, aproximadamente 30.000 plantas o semillas por m2.

Si en 1 cm2, teóricamente, debiera haber una planta para una correcta densidad de la carpeta, en 1 m2 habrá 10.000 plantas. Pero, si para compensar las pérdidas, en lugar de 1 planta por cm2 se consideran 2 plantas por cm2, en 1 m2 habrá 20.000 plantas; lo mismo sucede si se colocan 3 plantas por cm2 se obtendrán 30.000 en 1 m2.

Esto mismo realizan los viveristas cuando plantan en las macetas plantines pequeños en forma doble o triple, es decir de a dos juntos o de a tres.

El aumento de densidad de siembra requiere de suelos ricos que puedan tener los nutrientes necesarios para abastecer a una mayor dotación de plantas, también, como se mencionó antes, para dar un aspecto más tupido al césped.

Entonces, relacionando esta cantidad teórica con los datos de los pesos en gramos de las semillas (ver cuadro) tendríamos:

Con *Agrostis*	Con Lolium perenne
12.000 semillas pesan 1 gramo. Para obtener 30.000 plantas o semillas, se realiza el siguiente cálculo: $\dfrac{30.000 \text{ plantas} \times 1 \text{ g}}{12.000} = 2,5 \text{ g}$ Se necesitan 2,5 g de semilla para cubrir 1 m2	600 semillas pesan 1 gramo. Para tener 30.000 plantas que cubran 1 m2: $\dfrac{30.000 \text{ plantas} \times 1 \text{ g}}{600} = 50 \text{ g}$ Se necesitan 50 g de semilla para cubrir 1 m2

Se aplica un factor de corrección que sería de un 10% más de semillas a considerar, dadas las pérdidas que se producen con la germinación y la cantidad de semillas vacías o vanas que vienen mezcladas aun en semillas de buena calidad. Por lo que aproximadamente serían 55-60 g de semillas por m2 de Lolium perenne y unos 3 g para el *Agrostis*.

Este factor de corrección está calculado sobre la base del tamaño de la semilla, los valores término medio del poder germinativo y la pureza.

El poder germinativo consiste en los días en que tardan en germinar las semillas. Puede ser un período muy corto como en los *Rye grass* (5 días) o más largo como en el caso de la *Festuca rubra* que puede llegar a tardar 10 ó 12 días.

La pureza es un valor relacionado con la uniformidad de la muestra, y con la ausencia de semillas vacías, vanas o semillas de otra especie.

Cantidad de semillas por gramo

Especies		Cantidad	Cobertura
Semillas finas	Agrostis stolonífera	12.000 semillas/gramo	2,5 a 3 g cubren 1 m2
	Cynodon dactylon	4.000 semillas/gramo	7 a 10 g cubren 1 m2
	Poa pratensis	5.000 semillas/gramo	5 g cubren 1 m2
Semillas gruesas	Lolium perenne	600 semillas/gramo	40-60 g cubren 1 m2
	Festuca arundinacea	1.100 semillas/gramo	15-20 g cubren 1 m2
	Festuca rubra	1.300 semillas/gramo	15-20 g cubren 1 m2

La época de siembra depende de las exigencias de las especies y su ciclo vegetativo, a saber:

1. Especies de siembra otoñal (ciclo vegetativo otoño/invierno).

2. Especies de siembra a fines de invierno/comienzos de primavera (ciclo vegetativo primaveral /estival).

1. Características de las especies de siembra otoñal
(climas templados/templados fríos)

Nombre botánico	Características
Agrostis tenuis (Bent)	Con rizomas o estolones cortos; hojas finas; se adapta a suelos húmedos y áridos. Es una planta de clima frío.
Agrostis stolonífera (Bent)	Se extiende en el suelo por sus estolones; es usada como césped ornamental y para green de golf; no resiste bien los pisoteos y la sequía.
Festuca arundinacea (Festuca alta)	Hojas fuertes verde brillantes; rústica; crecimiento rápido; forma césped denso; exigente en fertilizantes.
Festuca rubra ssp. commutata (Festuca roja)	Muy densa, forma matas; verde oscura; hojas finas, rígidas; abundantes raíces; difícil de arrancar; soporta sequías y la media sombra; crecimiento lento.
Festuca rubra ssp. rubra (Festuca rastrera)	Densa; hojas finas; rizomas delgados; forma matas menos densas que la anterior subespecie; se adapta a distintos suelos.
Festuca rubra ssp. litorales (Festuca roja semi rastrera)	Rústica; soporta la sequía; rizomatosa; resiste el pisoteo y la media sombra, se usa en green de golf.
Poa pratensis (Poa de los prados)	Para suelos sueltos; resiste sequías, hojas ligeramente verde azuladas; se usa en las mezclas deportivas y recreativas; forma césped muy denso; rizomatosa; sensible a las enfermedades (Roya y otras).
Lolium perenne (Rye grass perenne)	Especie base en todas las mezclas de semillas de césped; resiste el pisoteo; germina y crece muy rápido (5 días); hojas verde claro brillante; se resiembra sobre Bermuda grass y otras especies de verano; actúa como anual porque se pierde con las temperaturas altas.
Lolium multiflorum (Rye grass anual)	Ciclo anual; crecimiento rápido; se lo usa en la resiembra sobre la Bermuda grass y otras especies de verano.

2. Características de las especies de siembra y plantación a fines de invierno/comienzos de primavera (especies de climas templados/cálidos)

Nombre botánico	Características
Cynodon dacytylon (híbridos, *Bermuda grass*)	Crecimiento rastrero con estolones y rizomas; amarillea con los fríos y la sombra; muy rústica; muy agresiva; rebrota en primavera; resiste sequías.
Paspalum notatum (*Bahia grass*)	Agresiva, rizomatosa; soporta suelos malos y pobres; textura gruesa; se adapta a suelos arenosos. No tolera las bajas temperaturas y el pisoteo continuo. Especie de clima tropical. Se usa en los bordes de carreteras y paseos públicos.
Pennisetum clandestinum (*Kikuyo*)	Muy rústica; soporta muy bien el pisoteo; textura gruesa, rastrera; rizomatosa; siembra difícil; costosa; se planta por gajos; textura gruesa; se adapta a suelos húmedos y fértiles.
Stenotaphrum secundatum (Pasto de San Agustín)	Se adapta a distintos suelos, pero prefiere los fértiles; requiere humedad; se extiende por estolones; rústica; textura gruesa; usada en climas tropicales y subtropicales; no tolera las bajas temperaturas.
Axonopus compressus (Grama brasilera)	Requiere ser protegida de las heladas, ya que es muy sensible a las bajas temperaturas; resistente a los demás factores y con temperaturas altas; se extiende rápidamente; estolonífera; forma alfombra muy compacta; se planta por gajos, trozos de panes y panes enteros.
Zoysia japónica	Se adapta a distintos suelos, pero crece mejor en los fértiles; resiste las sequías y las temperaturas altas; crecimiento lento; textura gruesa; climas templado, cálido y húmedo.

Axonopus compressus *(Pasto de los Jesuitas) apilado en tepes, recién extraídos (campo de* New grass*).*

Axonopus compressus *(Grama brasilera o Pasto de los Jesuitas) con manto protector de heladas, ya que* Axonopus *por ser una especie tropical es muy sensible a las heladas y bajas temperaturas (campo de* New grass*).*

Tepes de Axonopus compressus *(operarios trabajando).*

Resiembra

Cuando las mezclas de distintas especies formadoras de césped se dejaron de utilizar en los paseos públicos por ser costoso su mantenimiento y no obtener resultados positivos, se comenzó a practicar la técnica de las resiembras de pastos de invierno sobre la base de un pasto de verano, que toma una coloración amarillenta y una textura pajiza con las temperaturas bajas del invierno, pero a su vez mantiene las raíces vivas que en primavera vuelven a rebrotar con el cambio de las temperaturas. También se lo hace a fines de otoño y las semillas quedan a la espera de las temperaturas adecuadas.

La resiembra consiste en sembrar un pasto anual de crecimiento rápido como el *Lolium multiflorum* (*Rye grass* anual), o el *Lolium perenne* sobre áreas de céspedes que crecieron en verano y que conservan las raíces vivas. La condición es que no entre en competencia el Rye grass, que es la base de la carpeta desde marzo a diciembre, con las especies de verano (*Kikuyo*, Grama brasilera, *Bermuda grass*, etc.) que se resiembran sobre las áreas peladas del *Rye grass* cuando llegan las temperaturas altas.

Comúnmente, la resiembra se hace sobre césped de *Cynodon dactylon* (*Bermuda grass*), aunque se usan también otros pastos tropicales como *Axonopus compressus* y *Kikuyo* (*Pennisetum clandestinum*).

Resiembra al voleo sobre carpeta de césped ya implantada.

Técnica de resiembra

Esta técnica se usa en los céspedes de parques y jardines públicos y privados para poder mantener una carpeta verde tanto en invierno como en verano. En la producción de tepes o panes en cualquier momento del año, se hacen resiembras para poder vender los tepes cubiertos y verdes, que son más aceptados por el público y tienen mayor valor comercial.

Los productores de tepes y alfombras de césped usan la técnica de resiembra en otoño sembrando *Lolium* anual sobre una carpeta de pastos tropicales (*Bermuda*, *Kikuyo*, Gramillón, Grama brasilera) y así obtienen tepes con una cubierta verde claro, densa, uniforme, produciendo panes de césped muy verdes con las raíces ocultas y vivas de las especies tropicales, que en primavera, con las temperaturas adecuadas y la humedad, emergen cubriéndolo todo y el *Rye grass* anual desaparece justamente por ser anual y afectarle las temperaturas más altas.

Paso a paso

1- Se corta el pasto bien corto y se da una carpida.

2- Se agrega tierra buena con arena

3- Se distribuye con el rastrillo y se hace luego la resiembra.

4- Se compacta con un pisón liviano y luego se riega.

Campo con híbridos Bermuda, amarillento por la helada con resiembra de Lolium multiflorum (Rye grass *anual*) que cubre toda su extensión.

Campo con Gramilla (Cynodon dactylon *común*) amarillento por las heladas, con resiembra de Lolium multiflorum (Rye grass *anual*).

Campo con híbridos Bermuda (*híbridos de Cynodon dactylon*) amarillento por las heladas, con resiembra de Lolium multiflorum (Rye grass *anual*).

Campo implantado con Cynodon dactylon (*variedad Tif way 419 - césped para golf*) mostrando signos de amarillamiento y quemado por heladas.

Técnica de *top dressing*

Top dressing es otra actividad que se realiza en otoño e invierno para emparejar, cubrir las peladuras del césped causadas por excesivo pisoteo y mejorar las condiciones del suelo y del césped con agregado de enmiendas (resaca, mantillos mezclados con arena, etc.) sobre las áreas desprovistas de césped o peladas. Se hace una carpida muy liviana y se agrega la enmienda. Esta técnica se aplica en parques y jardines, canchas deportivas y áreas recreativas, especialmente en canchas de golf para cubrir orificios dejados por la aireación.

Paso a paso

1- Se distribuye arena gruesa o también arena con resaca u otra enmienda húmica, sobre toda la superficie afectada.

2- Luego se empareja con rastrillo de madera grande o un bastidor o cuadro de madera con malla plástica de ojo de 5 mm., que se arrastra sobre la superficie del césped, con dos sogas, una en cada vértice, y se juntan en una manija para poder manejar el bastidor y nivelar así la distribución de la arena. Ahora se podría resembrar sobre esta superficie.

2. Implantación por multiplicación vía asexual

1. Implantación del césped por tepes (panes)

El entepado es la forma más rápida para obtener una carpeta de césped. Resulta más costoso que la siembra, pero es muy práctico para determinadas situaciones como exposiciones, lugares pequeños, áreas de césped faltantes, lugares de difícil siembra (taludes, desniveles), emparchado de céspedes muy gastados, etc. También es ideal para trabajos de jardinería que deben ser entregados con apuro.

Las especies utilizadas son las de clima templado y tropical que se multiplican en primavera como: *Bermuda grass* (híbridos de *Cynodon dactylon*), Grama brasilera (*Axonopus compressus*), *Kikuyo (Pennisetum clandestinum), Cynodon dactylon* (Gramilla), *Zoysia japónica*, Gramillón (*Stenotaphrum secundatum*), etc.

Detalle de la cuchilla cortadora / extractora de los tepes.

Tepes de Grama brasilera (Axonopus compressus).

Máquina para la marcación en el terreno de los tepes y su posterior extracción.

Tepe de Axonopus compressus (Grama brasilera).

Técnica de implantación de tepes

Los tepes pueden ser los comunes de 20 cm de largo x 10 cm de ancho x 4 ó 5 cm de espesor, o los que se usan actualmente de 40 cm x 40 cm x 3 cm de espesor. En ambos casos deben tener un espesor mayor a 3 mm para que posean buena cantidad de raíces, estén libres de malezas en por lo menos el 80% del tepe y correspondan a la especie indicada.

Forma de colocación de los tepes (paso a paso).

1. Se prepara el terreno, se alisa y nivela.
2. Se traza la línea base primera de referencia con 2 estacas y una soga.
3. Se colocan los panes uno a continuación del otro siguiendo la línea base, dejando entre los tepes un espacio de 5 mm a 1 cm.
4. Se agrega tierra a esos espacios y con un pisón liviano se aplastan un poco los tepes contra el suelo.
5. La segunda línea se pone corrida para poder cerrar los espacios entre panes.
6. Se riega con flor fina y se dejan sin pisar hasta que pasen unos 30 días. Luego se corta con tijera de corte horizontal cuando comienzan a desarrollar las hojas y los brotes.

Paso a paso de la implantación por tepes.

Zona de extracción de tepes.

2. Implantación del césped por gajos

Se utilizan las mismas especies que para los tepes (*Bermuda*, *Kikuyo*, Gramillón, Grama brasilera, etc.). Es ideal para lugares especiales como taludes o desniveles. Se venden por bolsas, una bolsa puede cubrir unos 50 m². Se usan gajos de 15 a 20 cm de largo con 2 ó 3 nudos extrayendo las hojas inferiores. Se distancian 15 cm unos de otros. La implantación por gajos es más económica que el entepado y un poco más cara que la siembra.

Pennisetum clandestinum (Kikuyo), *detalle estolones.*

Pennisetum clandestinum (Kikuyo).

Forma de colocación de los gajos (paso a paso)

1. Se colocan en un terreno preparado como en todos los otros casos, se alisa y nivela.

2. Se traza la línea base con 2 estacas y una soga.

3. Se colocan los gajos inclinados unos 45 °, 1/3 arriba de la superficie y 2/3 abajo, para dar oportunidad a la actividad de las yemas.

4. Se apisonan y al realizar la segunda fila se colocan en pata de gallo, es decir, formando triángulos.

5. La superficie implantada con gajos no se debe pisar durante 30 días. Una vez brotados y extendidos, se cortan con tijera de corte horizontal y se les da el mantenimiento.

3. Alfombras

Los productores de alfombras son pocos porque el material es muy delicado para enrollar y es difícil lograr que no se rompa o deshaga, por eso es una opción poco remunerativa para el viverista que, con frecuencia, elige los tepes.

Se marcan las líneas básicas en el terreno con una máquina que corta los tepes con dos cuchillas verticales con un ancho entre ellas, que puede llegar a ser de 0,40 m, 0,80 m ó 1,20 m y con cuchillas horizontales que despegan a los tepes del suelo.

4. Implantación por trozos de tepes

La implantación por trozos de tepes es usada comúnmente en lugares pequeños y medianos; también para emparchar zonas deslucidas, gastadas o amarillentas. Es una técnica que permite cubrir rápidamente una superficie, pues la mayoría de las especies con que se trabaja son estoloníferas y rizomatosas, y esto hace que se extiendan y cubran con mayor rapidez, que si se hiciese por semilla.

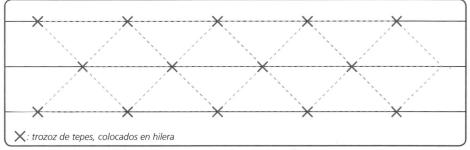

X: trozoz de tepes, colocados en hilera

Se deshacen los panes y esos trozos se colocan en pata de gallo, disponiendo una línea base de referencia.

Campo de Axonopus compressus *implantado por gajos* (New grass).

Detalle de los gajos de Axonopus compressus *distribuidos en el campo.*

3. Implantación por modificación de la pradera natural

Es una técnica que consiste en la limpieza del terreno, extrayendo las malezas de hojas anchas y dejando las de hojas finas (gramíneas). Se corta el pasto, se fertiliza, se airea, se escarifica, etc., como en la carpeta de césped. Los espacios vacíos por la extracción de las malezas se siembran con semilla de césped. Es una forma de tener una carpeta verde en lugares extensos, donde el mantenimiento del césped fino u ornamental sería difícil y también en lugares de poco uso y mantenimiento como son las quintas de fin de semana.

Capítulo 4
Mantenimiento del césped

Las tareas de mantenimiento

El césped, al ser un cultivo intensivo de gramíneas, presenta una siembra densa y las plantas deben vivir muy juntas en un determinado período de tiempo. Estas características hacen que necesiten atenciones periódicas como riego, cortes, control de plagas y enfermedades, etc.

El mantenimiento del césped incluye varias operaciones importantes que deben tenerse siempre en cuenta, a saber:

1. Desmalezado   **2.** Siega o corte   **3.** Fertilización

4. Riego   **5.** Drenaje y aireación

1. Desmalezado

Es una tarea importante en el mantenimiento del césped. Cabe destacar que se deben reconocer las malezas para saber qué tratamiento se le dará posteriormente. El término "maleza" se define como "aquellas plantas extrañas que se encuentran en un determinado cultivo".

Los perjuicios que causan las malezas son numerosos, por ejemplo:

- Producen manchones en el césped.
- Desnivelan la superficie de la carpeta.
- Compiten por la humedad, los nutrientes, la luz, etc.
- Las raíces compactan la capa superficial del suelo.

Clasificación de las malezas

Las malezas pueden clasificarse desde distintos puntos de vista, por ejemplo, por su ciclo vegetativo, por sus órganos subterráneos, por su forma de crecimiento, por la época de floración, por la resistencia a los tratamientos, etc.

a) Por su ciclo vegetativo se clasifican en anuales y perennes.

Anuales	*Sonchus oleraceus* (cerraja), tiene raíces pivotantes y daña el césped; *Silybum marianum* (cardo asnal); hojas manchadas con blanco. *Matricaria chamomilla* (manzanilla); *Cotula australis* (manzanilla); *Coronopus dydimus* (mastuerzo); *Portulaca oleracea* (verdolaga); *Urtica urens; Poa annua* (pastito de invierno).
Perennes	*Gamochaeta spicata; Plantago major* (llantén), raíz pivotante; *Oxalis articulata* (vinagrillo); *Trifolium repens* (trébol blanco); *Rumex crispus* (lengua de vaca), raíz pivotante.

b) **Por sus órganos subterráneos:** rizomas, *Gamochaeta spicata*; estolones, *Cynodon dactylon* (Gramilla); bulbos, *Cyperus rotundus* (Cipero); raíces gemíferas, *Wedelia glauca* (yuyo de San Vicente), etc.

c) **Por su forma de crecer:** son malezas con hojas basales, formando matas pegadas al suelo en todo su ciclo como *Plantago major* (llantén) y *Rumex sp* (lengua de vaca).

d) **Por sus características:** malezas que tienen sólo en una época hojas basales, el resto son plantas erguidas, como *Sonchus oleraceus* y *Papaver nudicaule* (amapolita).

e) **Por la época de floración:** invierno-primavera, primavera-verano-otoño.

f) **Por su resistencia a los tratamientos:**

Cyperus rotundus (Cipero): es muy difícil de extraer, pues al sacarlo se rompen las raicillas que llevan una gran cantidad de bulbos muy duros que persisten en el suelo y se reproducen fácilmente.

Wedelia glauca (Sunchillo): presenta raíces gemíferas y al extraer la planta se rompen en pedazos; estos llevan yemas y de este modo la reproducción se hace fácilmente.

Rumex conglom errata *(lengua de vaca).*

Cirsium vulgare.

Coronopus didymus.

Dichondra repens *(oreja de ratón).*

Urtica urens *(ortiga).*

Euphorbia serpens.

Malezas que crecen y florecen en otoño/invierno

Nombre común	Nombre botánico	Características	Control
Cardo	*Carduus sp*	Mata espinosa pegada al suelo.	2, 4D/MCPA (sistémicos)
Manzanilla	*Cotula australis*	Follaje fino verde claro; anual; florece a mediados y fines de invierno.	2, 4D (sistémico) MCPA (sistémico)
Vira-vira	*Gamochaeta sp*	Maleza de suelos bajos; hojas basales enteras; muy pegadas al suelo.	2, 4D (sistémico) MCPA (sistémico)
Pastito de invierno	*Poa annua*	De terrenos húmedos; bajo árboles; anual; invasora.	Propizamida (sistémico)
Caa-piqui	*Stellaria media*	Perenne; florece a mediados de invierno; resistente.	2, 4D (sistémico) MCPA (sistémico)
Diente de león	*Taraxacum officinale*	Raíces pivotantes; hojas basales en roseta; perenne; florece en invierno; floración amarilla.	2, 4D (sistémico) MCPA (sistémico)
Trébol blanco	*Trifolium repens*	Leguminosa perenne; florece a mediados de invierno; enriquece el suelo; hojas con marcas blancas; flores blancas en cabezuelas.	Dicamba (sistémico) MCPA (sistémico)

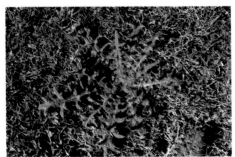

Cirsium acaule.

Gamochaeta cuartata *(vira-vira)*.

Trifolium repens.

Oxalis corniculatus.

Crepis setosa.

Césped invadido de trébol blanco.

Geranium molle *(alfilerillo).*

Tripholium repens.

Sonchus oleraceus.

Tripholium repens.

Taraxacum officinale.

Rumex crispus *(lengua de vaca).*

Pandanus sp.

Taraxacum officinale. *Fruto característico plumoso que se desintegra con el viento y disemina las semillas.*

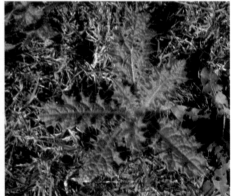

Carduus nutanssub especire microlepis.

Dipsacum fullonum.

Carduus acanthoides.

Verónica persica.

Flores de Verónica persica.

Hipochaeris ssp radicata.

Stellaria media (caa-piqui).

Algunas malezas de verano			
Nombre común	**Nombre botánico**	**Características**	**Control**
Yuyo colorado	*Amaranthus quitensis*	Maleza anual; muy ramificada, de follaje rojizo.	Picloram 2, 4D (sistémico) MCPA (sistémico)
Trébol de olor	*Melilotus indicus*	Muy común en los jardines; anual; susceptible a los herbicidas cuando es joven.	2, 4D (sistémico) MCPA (sistémico)
Verdolaga	*Portulaga grandiflora*	Muy común en los jardines; de hojas carnosas y de un verde vivo.	2, 4D / MCPA

Lucha contra las malezas

Es una lucha integral que comprende las siguientes medidas.

1. Preventivas

- La selección de las semillas de césped.
- Uso de tierra de buena calidad, limpia y libre de malezas.
- Implementos y máquinas limpias.
- Desmalezamiento de los terrenos vecinos al césped.

2. Destructivas

- Erradicación de las malezas por medios mecánicos y químicos.
- Los medios mecánicos se basan en el uso de los escardillos, azadas, azadines, palas, etc., que extraen las malezas cuando tienen poco crecimiento, ya que luego es difícil hacerlo sin arruinar la uniformidad del césped.
- Por medios químicos consiste en la aplicación de los herbicidas, muy común en canchas deportivas.

Implementos para el desmalezado

- **Palas:** para extraer las matas de las malezas y dar vuelta la tierra a fin de exponerlas al sol que las deshidrata o al frío que las quema.
- **Escardillo de mano:** para extraer pequeñas plantas de malezas en el césped ya instalado.
- **Azadas y azadines:** para extraer las malezas con hojas en roseta y raíz pivotante.
- **Azadones:** para cortar la maleza a nivel del cuello.
- **Carpidores:** remueven superficialmente la tierra.
- **Cultivadores:** para carpir en extensiones mayores.
- **Rastrillos escarificadores:** con dientes derechos, planos, como cuchillos.
- **Guadaña:** para realizar la limpieza de malezas del terreno, antes de la implantación del césped.

Pala de cargar

Pala de puntear

Azadon

Asadines y escarificadores de mano

Rastrillos

Guadaña de mano

Maquinarias para el desmalezado

- Segadoras: para realizar el corte de malezas altas, ya crecidas y preparar el terreno para el uso de las cortadoras helicoidales o las rotativas.

- Las cortadoras de cuchillas helicoidales son las que realizan el mejor corte, el más uniforme.

- Cortadoras rotativas.

Segadora autopropulsada que corta el pasto más alto y grueso para después pasar la máquina helicoidal (New grass).

Preparación del terreno y erradicación de las malezas

1. Labranza del terreno en el verano, dejando los rizomas, estolones, bulbos, etc., sobre la superficie para que pierdan turgencia y se sequen por las altas temperaturas.

2. En invierno se hace el mismo trabajo extrayendo bulbos, rizomas, estolones, etc., dejándolos arriba en la superficie para que se quemen con las heladas.

3. Se emplean barbechos, rastrojos, etc., cubriendo la superficie del terreno, y tapando la luz, se produce la muerte de las malezas. Se puede usar mulching de manto plástico de color negro en casos especiales, como la abundancia de *Cyperus rotundus* o Cipero, y realizar rotaciones en su tratamiento en las distintas áreas del jardín.

Uso de herbicidas

Se clasifican de varias maneras:

a) Por su acción sobre las plantas.
b) Por su modo de actuar.
c) Por el momento en que se aplican.

a) Por su acción sobre las plantas pueden ser:

- **Selectivos:** herbicidas de tipo hormonal (2, 4D; MCPA).
- **No selectivos o totales:** glifosato.

b) Por su modo de actuar pueden clasificarse en:

- **De contacto:** son los que al aplicarlos sobre el follaje producen el aniquilamiento de las hojas.
- **Translocables:** llamados sistémicos o de acción interna. Son los que se trasladan por toda la planta, siendo muy útiles en el control de las malezas perennes.

c) Por el momento en que se aplican se dividen en:

- **Preemergentes:** los que se aplican antes de que salgan las malezas (pendimetalin).
- **Postemergentes:** los que se aplican cuando las malezas ya han emergido, como el 2, 4D y el MCPA que son de tipo hormonal y acción sistémica.

Forma correcta de uso del pulverizador de mochila.

En los jardines, la operación de aplicación de herbicidas debe ser muy cuidadosa ya que alrededor del césped se encuentran plantas herbáceas muy susceptibles de recibir el efecto del herbicida aplicado al césped por acción del viento (deriva). Por ello habrá que cubrir las borduras herbáceas con una película de nailon antes de la aplicación.

2. Siega o corte del césped

La siega o corte, el riego y la fertilización son las operaciones básicas en el mantenimiento del césped, luego viene el control de las enfermedades que muchas veces es el resultado directo de las deficiencias en el corte, riego y fertilización.

El objetivo de los cortes es incentivar el desarrollo radicular y la producción de macollos y así las matas se ensanchan para formar una carpeta uniforme, densa como una alfombra, y a la vez esta operación contribuye a controlar el avance de las malezas. Pero hay que ser muy cuidadoso porque si se excede en los cortes se debilita el sistema radicular y la planta amarillea y se seca.

Cuando se fertiliza el césped, los cortes se dan más seguido por el aumento de creci-miento de las plantas. Los cortes deberán responder a las exigencias y características de las gramíneas para formar la carpeta, por ejemplo la *Festuca rubra* tiene crecimiento lento por lo cual no es necesario darle cortes muy seguidos; en cambio, la *Festuca arundinacea* es más vigorosa y necesita más control en los cortes, lo mismo el *Lolium perenne*. El césped se corta cuando se supera 1/3 por encima de la altura media de las plantas. Si las plantas estaban muy altas conviene ir bajando la altura de a poco, en forma progresiva. Como en el caso de la poda, los cortes excesivos quitan reservas a la planta, disminuyen la calidad de la carpeta y facilitan el debilitamiento y ataque posterior de plagas y enfermedades.

Rye grass *vigoroso superando la altura de corte.*

Recomendaciones para el corte del césped

- Gramíneas vigorosas como *Festuca arundinacea* o el *Lolium perenne* no deben cortarse demasiado bajo, porque la corona y el punto vegetativo que se encuentran en la base están a una altura más alta que el corte bajo.

- Los *Agrostis* se pueden cortar más bajo porque el punto vegetativo está muy bajo en la planta y se puede segar al ras del suelo, es decir a 5 mm de altura.

- No cortar con el pasto mojado.

- Cortar antes de un crecimiento excesivo.

- Alternar el sentido y dirección de los cortes para evitar la caída de las plantas hacia el mismo lado.

- Realizar los cortes con buena maquinaria, es mejor con máquina helicoidal con las cuchillas bien afiladas, para no producir daños en las plantas.

- Los cortes muy bajos hay que hacerlos en forma progresiva en plantas altas ya que se produce una disminución de la fotosíntesis por extracción de la superficie foliar y daños en las raíces.

- Enfermedades como la mancha dólar (*Sclerotinia sp*) se favorecen con los cortes bajos.

- En los meses muy fríos de inviernos o los muy calurosos de verano se deben evitar los cortes bajos.

Alturas de corte para distintas especies de césped
(Merino, Domingo y Miner, Javier, *Céspedes Deportivos*, Barcelona, Mundi Prensa, 1998).

Nombre común	Nombre botánico	Altura de corte
Agrostis estolonífero y *Colonial bent*	*Agrostis stolonífera* y *tenuis*	Mínima 3 mm Óptima 5 a 10 mm
Bermuda grass	*Cynodon dactylon*, híbridos	Mínima 5 mm Óptima 15 mm
Red fescue, cañuela	*Festuca rubra*	Mínima 5 mm Óptima 15 a 30 mm
Festuca alta	*Festuca arundinacea*	Mínima 20 a 25 mm Óptima 30 a 50 mm
Rye grass inglés	*Lolium perenne*	Mínima 15 mm Óptima 25 a 40 mm
Poa	*Poa pratensis*	Mínima 18 mm Óptima 25 a 30 mm

Época de corte

Corresponde al período de crecimiento vegetativo, primavera/verano, tanto en las especies de siembra otoñal como en las especies de siembra o plantación a fines de invierno.
En los meses con temperaturas extremas, como los de enero en verano y julio en invierno (es variable), se deja el pasto más alto para proteger las plantas de los golpes de calor y las temperaturas extremas de invierno.

Primer y segundo corte

Después de la siembra se debe esperar a que alcance unos 10 cm de altura aproximadamente y realizar el corte en espacios reducidos con tijera horizontal ayudándose con un tablón para extender el peso en mayor superficie y no hacer hoyos con los zapatos.
La tijera deberá estar limpia y con filo suficiente. El corte debe hacerse a 1/3 de la altura total de la planta para incentivar las yemas del área de la corona y que se forme una mata. Los cortes sucesivos se darán con tijera (2 ó 3) tratando de bajar la altura a 3 ó 4 cm, en forma general. En espacios mayores se corta con guadaña bien afilada.

Periodicidad de los cortes

Los cortes por semana dependen de varios factores como la naturaleza de la especie, el uso, la época del año, los factores climáticos, etc.
No debe quitarse en cada corte más del 30% de las hojas para poder conservar la sanidad, vigor y resistencia.

Corte del pasto, cuando las plantas alcanzan de 10 a 12 cm de altura. Los dos primeros cortes se hacen con tijera de corte horizontal y mangos largos, luego se cortará con maquina.

Cortes del césped por semana

Especies	Lugares	Primavera	Verano	Otoño	Invierno
Lolium perenne	Parque / jardín	2 - 3 veces	2 veces	1 - 2 veces	Cada 10 días
Lolium multiflorum	Parque / jardín	2 - 3 veces	2 veces	1 - 2 veces	Cada 10 días
Agrostis sp.	Green de golf	2 - 3 veces	2 veces	1 - 2 veces	1 vez
Híbridos Bermuda	Green de golf	2 - 3 veces	2 veces	1 - 2 veces	1 vez
Festuca rubra	Green de golf	2 - 3 veces	2 veces	1 - 2 veces	1 vez

Altura de los cortes

La altura dependerá de la especie, el ritmo de crecimiento, los usos y la época del año. En la práctica se deja el pasto a una altura de:

• 10 cm en los hipódromos; • 4 a 6 cm en los jardines; • 4 a 6 cm en los parques.

Altura de los cortes en canchas deportivas (según Merino y Miner)

Cancha deportiva	Corte de verano	Corte de invierno
Hockey	12 a 25 mm	12 a 25 mm
Rugby	25 a 50 mm	50 a 75 mm
Fútbol	25 a 38 mm	12 a 38 mm
Tenis	10 mm	10 mm
Golf (hoyos)	3,5 mm	3,5 mm
Golf (salidas)	10 mm	10 mm

Maquinaria e implementos para el corte

Antiguamente los cortes de césped se realizaban con guadañas y con la hoz; posteriormente se usaron las tijeras de corte horizontal y más tarde las máquinas de cortar césped eléctricas, nafteras y a gas oil.

Se debe elegir la que convenga para cada caso en particular según las necesidades, el tamaño del jardín, los usos, las especies, los objetivos, etc. Para el corte se deberán consultar las indicaciones del fabricante y chequear que las cuchillas estén en buenas condiciones. Según el sistema de corte, las máquinas pueden ser: rotativas o helicoidales.

Rotativas

Son las más usadas en los paseos públicos y están constituidas por una cuchilla que gira a gran velocidad sobre un eje perpendicular a la superficie de corte.

El corte es por impacto de la cuchilla sobre el césped y es de menor calidad en comparación con el realizado por las máquinas helicoidales, porque producen desgarros en las plantas. Algunas máquinas tienen sistemas de aspiración de residuos del césped. Respecto del mantenimiento, el afilado de la cuchilla es más fácil en las rotativas que en las helicoidales. Las máquinas rotativas, pueden ser de un cuerpo o varios cuerpos:

• **Autopropulsadas:** pueden ser eléctricas (rotativas a colchón de aire ¾ HP; ancho de corte 30 cm; altura de corte 15 a 29,5 mm) o nafteras (motor 4 tiempos 3,5 HP; con o sin trituración del césped; con o sin depósito de residuos; ancho de corte 46 a 51 cm; altura de corte 30 mm a 65 mm).

• **Con arrastre de tractor:** pueden ser arrastradas en espacios grandes y por varios cuerpos.

Máquina cortadora de césped rotativa con implemento de bolsa recolectora de los residuos de césped cortados.

Helicoidales

Con estas máquinas el corte es de mejor calidad ya que no se desgarran las plantas. Son más costosas que las rotativas, pero realizan un trabajo excelente y pueden trabajar en terrenos con desniveles. De acuerdo con su traslado pueden ser:

* **Manuales:** movidas en forma manual con o sin recolector de césped. Ancho de corte 30 a 40 cm; altura de corte 18 a 50 mm. Están constituidas por un cilindro con varias unidades de corte o cuchillas que según su número pueden llegar a realizar un corte más uniforme, más fino y perfecto (con mayor número de cuchillas). El corte se produce por arrastre de las plantas contra la barra y las cuchillas, y en su movimiento cortan las plantas. La altura de corte es graduable a nivel de las ruedas, levantándose o bajándose el rodillo helicoidal con una palanca, por lo tanto se puede cortar muy bajo en canchas de golf y en trabajos de mayores exigencias.
* **Autopropulsadas:** donde la máquina tiene su propia tracción (naftera, eléctrica, gas oil, etc.). Algunas tienen rodillo frontal.

Máquina cortadora de tipo helicoidal, mostrando el rodillo y las cuchillas helicoidales.

Implementos o accesorios

Máquinas bordeadoras: con corte por impacto sobre las plantas de césped de un hilo de nailon que gira a gran velocidad (2500 revoluciones/minuto). No sirven para obtener buenas carpetas de césped porque desgarran las plantas y dejan heridas que se muestran después como manchas desflecadas y amarillentas. Se usan para cortar lugares difíciles, como los bordes de una carpeta, caminos, desniveles, etc.

Bordeadora para cortes en lugares difíciles.

Detalle del uso de la bordeadora.

Detalle de la bordeadora mostrando el hilo de nailon que a gran velocidad de giro se usa para cortar el césped de bordes y lugares difíciles.

Detalle de césped crecido junto al camino que requiere el empleo de una máquina bordeadora.

Detalle del césped recien cortado.

Tijera de corte horizontal y mango corto.

Recolector antipolvos.

Escobilla para barrido de residuos.

Tijera de dos mangos casi verticales y corte horizontal.

Hojas secas sobre el césped.

Pala y horquilla.

Implementos de trabajo para llevar los residuos de los cortes al mantillero (carretilla).

Detalle del césped listo para cortar.

3. Fertilización

Es una operación fundamental para mantener el césped en buenas condiciones, denso, resistente, uniforme, de color brillante y sano, y poder compensar las pérdidas de nutrientes, especialmente el nitrógeno por los continuos cortes y la baja altura de los mismos.

Para comenzar con un plan de fertilización es conveniente realizar primero un análisis químico y físico del suelo para saber la reacción del suelo o pH, el contenido de nutrientes, la textura y estructura, muy importantes en superficies grandes.

Desde el punto de vista práctico, un suelo rico se reconoce por la diversidad de las malezas, la presencia de materia orgánica, su estructura en gránulos y el color oscuro.

Al extraer una muestra para el análisis se debe observar la facilidad o no de poder trabajarla, como ya se dijo, en forma de cinta de unos 2 a 3 mm de diámetro y 10 cm de largo que luego enrollaremos en anillo, observando cómo se comporta el suelo.

Los suelos buenos para cultivar en general no forman una cinta perfecta con superficie brillante que indicaría un suelo demasiado arcilloso, sino que forman cintas más o menos resquebrajadas en su superficie lo que corresponde a un suelo suelto y liviano, acompañado de un color oscuro cuando está húmedo (característico de los suelos con buen contenido en materia orgánica) y ensuciando poco las manos.

Ventajas de la fertilización

El césped fertilizado presenta:
- Mejor enraizamiento.
- Mayor elasticidad.
- Persistencia.
- Densidad.
- Color verde característico de la especie considerada.
- Plantas erguidas.

Detalle de un césped fertilizado.

Nutrientes indispensables para el crecimiento del césped		
Macronutrientes o esenciales	**Elementos secundarios**	**Micronutrientes, oligoelementos o elementos menores**
Nitrógeno(N)	Calcio (Ca); Magnesio (Mg)	Boro (B); Zinc (Zn); Manganeso (Mn); Hierro (Fe); Cobre (Cu); Molibdeno (Mb).
Fósforo (P)	Azufre (S)	
Potasio (K)		

Los **macronutrientes** son los elementos llamados básicos, esenciales o principales porque integran las funciones más importantes para el vegetal como la división celular, fotosíntesis, respiración, crecimiento, floración y fructificación. Ellos son el nitrógeno (N), el fósforo (P) y el potasio (K).

Dentro de los macronutrientes, el **nitrógeno** (N) es el de mayor consumo e importancia para el césped, ya que los cortes continuados se llevan un gran porcentaje de nitrógeno y este elemento es un constituyente indispensable para formar las proteínas, el protoplasma celular y la clorofila. El césped se regenera periódicamente con los aportes de nitrógeno.

El **potasio** (K) interviene en los procesos metabólicos de las células; tiene relación con los procesos de la respiración, transpiración, síntesis de los hidratos de carbono, tolerancia al frío, calor y sequía. Aumenta la resistencia a las enfermedades.

El **fósforo** (P) se encuentra en las semillas, partes jóvenes de las plantas, es constituyente de las células vivas, forma parte de los fosfolípidos, nucleoproteínas, etc. Se aplica en el suelo para activar el desarrollo radicular en el momento de la preparación del terreno.

Los elementos secundarios son el calcio (Ca), magnesio (Mg), azufre (S).
El **calcio** (Ca) forma parte de las paredes celulares y del crecimiento de los meristemas. Se incorpora al suelo de diversas maneras, en los fertilizantes como fosfato monocálcico y bicálcico; y en los encalados como carbonato de calcio.

El **magnesio** (Mg) es parte de la molécula de clorofila y de los sistemas enzimáticos. Se incorpora en los fertilizantes completos, como el nitrofoska de fórmula 12-12-17-2.

El **azufre** (S) es el constituyente de los aminoácidos. Aumenta el color de las hojas.

Los **micronutrientes**, oligoelementos o elementos menores son los nutrientes que las plantas utilizan en menor cantidad como el cobre (Cu), manganeso (Mn), zinc (Zn), boro (B), molibdeno (Mb) y hierro (Fe).

El **hierro** tiene funciones muy importantes en el sistema enzimático de las plantas porque se lo necesita en la síntesis de la clorofila. La deficiencia se manifiesta por amarillamiento de las hojas, quedando las nervaduras verdes. En general los elementos menores funcionan como enzimas en los procesos fisiológicos que tienen lugar en las plantas.

Nitrógeno: formas disponibles en la naturaleza		
Formas del nitrógeno	**Existencia en el suelo**	**Existencia en la atmósfera**
Nitrógeno orgánico	Residuos vegetales y animales (deyecciones, cadáveres, etc.). El 95% en forma orgánica.	-
Nitrógeno amoniacal	Aparece en los procesos de descomposición de la materia orgánica por las bacterias nitrosomonas y nitrosococus.	Como amoníaco en las lluvias.
Nitrógeno nítrico	Proceso de descomposición de la materia orgánica por las bacterias nitrificadoras (nitrobacter).	En las lluvias.
Nitrógeno gaseoso	Aparece en el suelo como fijación del nitrógeno del aire, y por las colonias de *Bacillus radicicola* en las raíces de las leguminosas.	En las lluvias y tormentas eléctricas.

Detalle de máquina manual aplicadora de abonos en polvo o granulados.

Forma de aplicar el fertilizante al voleo, luego se riega.

Formas de incorporar nitrógeno al césped

Materiales	Características	Momento de aplicación
Abonos orgánicos naturales	Actúan también como mejoradores del suelo	En el momento de la preparación del suelo, siembra y plantación.
Harina de sangre*	Contiene 10% de nitrógeno	Preparación del terreno para la siembra y plantación.
Harina de huesos*	13% de fósforo y 10% de nitrógeno	Para incorporar en el suelo en el momento de la siembra.
Estiércol vacuno y equino*	5 % de nitrógeno	Para mejorar las condiciones físicas del suelo en el momento de la preparación del terreno.
Abonos inorgánicos de acción lenta, solubles	Sulfato de amonio (21% de nitrógeno)	Abonado de otoño; debe pasar un tiempo para que pase de nitrógeno amoniacal a nitrógeno nítrico por acción bacteriana.
Urea	45% de nitrógeno; muy soluble y concentrado; es la fuente más usada para incorporar nitrógeno al suelo	Primavera y otoño; debe descomponerse primero en carbonato de amonio, antes de ser utilizado por las plantas; 1 ó 2 k/100 m²
Fosfato de amonio	Nitrógeno amoniacal (10% N) y fósforo (52%)	Para la siembra y la resiembra; abono otoñal 1 ó 2 k/100 m²
Abonos sintéticos de liberación lenta (2 meses)	IBDU 32% de nitrógeno	Después de un tiempo se liberan los componentes por acción del agua del suelo y es aprovechado por las plantas; se venden como gránulos y se usan en cualquier época del año.
	UreaForm 38 a 40% de nitrógeno	Los componentes son liberados por la acción de la flora microbiana del suelo en forma lenta y son utilizados por las plantas; son gránulos revestidos que llevan el nutriente en su interior.
Abonos complejos completos	15-15-15 (N-P-K) 12-12-17-2 (N-P-K-Mg) 3 componentes básicos o esenciales	Se usa como abonadura de fondo: 2 k/100 m²; primavera/otoño.

(*) Abonos orgánicos naturales (tipo enmiendas).

Momentos en la incorporación de fertilizantes

1) En la preparación del suelo para la siembra o la plantación colocar:

• Harina de huesos, 150 g/10 m²;   • Fosfato de amonio; • Fosfato monocálcico.

2) En la etapa de crecimiento vegetativo (primavera-verano):

a) 1-2 k de urea/100 m², 2 a 4 aplicaciones; nitrato de potasio 5 g/10 litros de agua, 1 vez cada 15 días en la etapa de crecimiento vegetativo. Después de aplicado se lava el follaje con la manguera porque es un fertilizante para el suelo, no es foliar.

b) Fertilizante completo 12-12-17-2 / 15-15-15. Para reforzar el crecimiento vegetativo de primavera comienzos de verano, aproximadamente 2 ó 3 k/100 m² (depende de las necesidades de la especie considerada y del suelo), luego de la aplicación se dará un riego abundante.

Aperdigonado completo, complejo nitrofoska gránulos.

3) En otoño, colocar fertilizantes de liberación lenta (20 a 30 g/m²); en primavera (20 g/m²) y en verano (10 g/m²). Distribuir los gránulos en forma uniforme sobre el césped y regar después de ser aplicados. Los gránulos están recubiertos por una sustancia sintética que va entregando el contenido de nutrientes lentamente durante 2 ó 3 meses.

Vista de una carpeta de césped verde brillante que refleja una buena nutrición.

Césped con aplicaciones de dosis excesivas de fertilizantes mostrando los efectos característicos de la quemadura.

Deficiencia de nutrientes

Además del nitrógeno, que es el fertilizante de mayor consumo, el césped debe recibir la totalidad de los nutrientes en cantidades equilibradas, ya que por la Ley de Liebig o llamada también Ley del Mínimo, las plantas detienen su crecimiento cuando algún elemento se encuentra en el mínimo; relacionando este proceso con el de un tonel que tiene una de sus lonjas rotas, por lo cual el nivel de agua contenido en él será detenido por esta ruptura, aunque las otras lonjas tengan el largo correspondiente.

Este ejemplo quiere explicar la importancia de todos los elementos en el crecimiento de la planta que se detiene cuando uno de ellos está en carencia o falta.

Fósforo

Es un promotor de la formación de raíces por eso se aplica harina de huesos en la preparación del terreno para la siembra, entepado o gajos. Su carencia produce disminución de raíces nuevas y del desarrollo radicular (raíces escasas y débiles). Las hojas aparecen de un color más oscuro con pigmentaciones de color violeta o púrpura, empezando por la parte apical. Luego las hojas se enrollan.

Potasio

Tiene un papel importante en la acumulación de las sustancias de reserva y en la resistencia de las gramíneas durante las sequías, al frío, al pisoteo, al ataque de los insectos y enfermedades, ya que aumenta la fortaleza de los tejidos. Su carencia produce el vuelco de las gramíneas, las hojas toman un color amarronado, como quemaduras y se secan desde el ápice y bordes superiores.

Hierro

La carencia de hierro produce hojas con las nervaduras verdes y el parénquima internerval amarillo.

Magnesio

Interviene en la fórmula de la clorofila, influye en la fotosíntesis y el color de las plantas. Su carencia produce amarillamientos.

Nitrógeno

Responsable del color y del desarrollo del césped. El déficit de nitrógeno produce amarillamiento general, disminuyendo su crecimiento y su densidad.

Suelo compactado (arcilloso pesado) con manchas que muestran deficiencias nutritivas.

4. Riego

El riego es una de las tareas de mantenimiento más importantes que se inicia en el momento de la siembra. Debe ser realizado como lluvia fina (aspersión) que penetra en la capa superficial del suelo en forma pareja.

La mayoría de las raíces finas de absorción del agua y nutrientes se encuentran distribuidas dentro de los primeros 20 a 30 cm de profundidad, pero ya cuando comienza a manifestarse la falta de agua es cuando se secan los primeros 10 cm, con las variantes que aparecen en los distintos tipos de suelos.

El riego del césped está íntimamente relacionado con las propiedades físicas del suelo: textura y estructura, la capacidad de retención del agua, la cantidad de poros del suelo o porosidad, el tipo de suelo, etc.

El suelo se comporta como una esponja, absorbiendo el agua y, cuando está excedido, comienza el drenaje, que en una cancha deportiva se da del primero al tercer día.

• Porosidad

Es la capacidad del suelo para retener y suministrar agua y aire a las raíces, debido a la existencia de poros de distinto tamaño que almacenan tanto el agua como el aire. En general, no convienen los riegos cortos y frecuentes, porque las raíces no profundizan en el suelo y se favorece el enraizamiento superficial y la instalación de algas y musgos. Se deben efectuar riegos adecuados y espaciados, para dar lugar a una distribución adecuada del aire en los poros.

Valores término medio de porosidad de los sustratos	
Turba	88-92%
Arena gruesa	88%
Grava	45%
Tierra arcillosa	40%
Perlita	96%
Vermiculita	95%

• Disponibilidad de agua

Se puede llegar a conocer la disponibilidad de agua de un suelo mediante los tensiómetros, que se venden en los comercios y son manuales. Otra operación práctica que se puede realizar en el césped es conocer cuál es la llegada del agua de riego en una superficie dada, mediante una manguera con regador de lluvia sostenida por una estaca y varios recipientes distribuidos en círculos en el suelo. Esto se realiza observando hasta qué distancia llega el agua y en qué cantidad, lo cual permite conocer la cantidad de agua regada en un tiempo dado y hasta dónde llega en el suelo, que se verifica haciendo un pozo pequeño con la pala.

• Distribución del agua en el suelo

El agua se encuentra en el suelo bajo tres formas:

1. Agua adherida muy fuertemente a las partículas de arcilla, por ello no se encuentra disponible para las plantas que pierden turgencia y se marchitan. A este estado se lo llama "punto de marchitamiento".

2. Agua que circula entre las partículas del suelo y puede ser tomada por las plantas; a este estado se lo denomina "capacidad de campo".

3. Agua que cubre todos los espacios de poros y se encuentra sobrante, a este estado del agua se lo llama "agua sobrante".

El objetivo del drenaje es desalojar el agua sobrante, que quita el aire de los poros y produce la muerte de las raíces.

• Momento de regar

El momento ideal para regar es lejos del rocío de la mañana y de la noche. Se debe regar en el momento de mayor necesidad para evitar el estrés hídrico. La falta de riego se manifiesta por amarillamiento de las plantas, pérdida de la elasticidad, acartuchamiento de las hojas, etc.

La respuesta al déficit de riego es distinta en todos los suelos y plantas. En los suelos arenosos, el agua se pierde rápidamente de la superficie y las plantas amarillean muy pronto. En los arcillosos es más lento el proceso porque queda retenida en los microporos.

El momento crítico aparece en el césped en primavera/verano con el aumento de las temperaturas y el crecimiento de las plantas. El riego es diario, pero en estas épocas se riega de 2 a 3 veces por día, sobre todo en días ventosos.

• Necesidad de riego

Se constata, en forma práctica, con una varilla de hierro (las usadas en construcción), introduciéndola en la tierra. La respuesta a la presión para introducirla da el estado del suelo,

Mucha presión	Presión media	Poca presión
suelo muy seco (arcilloso).	relativamente seco.	suelos húmedos, sueltos y de textura media a gruesa con buena cantidad de materia orgánica.

• Cantidad aproximada de agua para suministrar al césped

De 10 a 20 litros de agua/m² en períodos de crecimiento vegetativo (primavera-verano). Por otra parte, la misma vegetación está indicando la necesidad de riego con la falta de elasticidad, el amarillamiento, etc.

• Formas de regar

1. **Manual:** para superficies reducidas; regaderas de flor fina; mangueras con picos regadores de flor fina (lluvia).
2. **Regadores:** de distinto tipo que distribuyen el agua como lluvia. Regadores estáticos y oscilantes.
3. **Sistema de riego por aspersión:** semejante a las lluvias. Para superficies medianas a grandes.

Implementos para regar en superficies reducidas.

Regadera. área de regado.

Pico regador para manguera. área de regado.

Regadores estáticos y oscilantes para regar en superficies mayores.

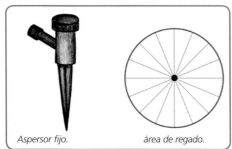

Aspersor fijo. área de regado.

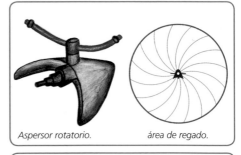

Aspersor rotatorio. área de regado.

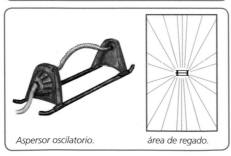

Aspersor oscilatorio. área de regado.

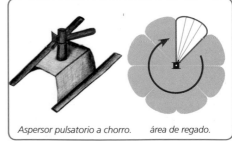

Aspersor pulsatorio a chorro. área de regado.

Riego por aspersión

Es el sistema de riego que se asemeja a la lluvia y el que mejor distribuye el agua en el suelo. Aporta uniformidad, penetración y evita los encharcamientos que producen las mangueras colocadas en un sitio.

Este sistema de producción de lluvia puede ser automático, semiautomático, computarizado o no. Asimismo, se divide en:

Fijo	Fijo y enterrado	Móvil
Constituido por una fuente fija y mangueras de distinta longitud.	Red de cañerías con bocas de riego hacia fuera, que emerge cuando comienza el riego. Es el sistema más usado.	Se mueve por el terreno, lleva uno o más aspersores y se usa en grandes extensiones.

Aspersores y difusores

Los aspersores se diferencian de los difusores en que su alcance es mayor y se seleccionan para superficies medianas a grandes. Los aspersores pueden ser aéreos o emergentes.

- **Aspersores aéreos** (sobre elevados del suelo).

- **Aspersores emergentes:** son los de mayor uso y se denominan así porque tienen un vástago que emerge del cuerpo cuando actúa la presión del agua. Se utilizan en el sistema de riego por aspersión con las cañerías enterradas en el suelo.

Forma de actuar de los aspersores

- **Por impacto:** se llama así porque el aspersor lleva un brazo que al recibir el chorro de agua hace girar al aspersor.

- **De turbina:** lleva un mecanismo rotativo, en la parte emergente, dando un riego bien distribuido.

Alcance y caudal de las toberas

Oscila entre 8 y 13 m aproximadamente, con caudal de 0,4 m³/hora. En espacios grandes, el alcance es de 12 a 20 m con un caudal de 1 a 6 m³/hora.

Riego por aspersión móvil utilizando un trípode que puede ser movido por distintas áreas del jardín.

Alcance de los aspersores

Oscila entre 8 y 13 m término medio, con un caudal de 0,4 m³/hora para jardines de mediana superficie. Para grandes superficies el alcance es de 13 a 20 m con un caudal de 1 a 6 m3/hora.

Elementos de un sistema de riego por aspersión

Un sistema de riego por aspersión consta de varios elementos: aspersores, cañerías de plástico reforzado PVC, programadores de riego, cables, electro válvulas y bomba centrífuga.

Para aplicar riego por aspersión a un césped habrá que estudiar la forma del terreno: si es de forma cuadrangular, los puntos críticos están en los cuatro vértices.

Sistema de riego por aspersión de cañerías enterradas y aspersor emergente.

Se colocara un aspersor en cada vértice, que cubre ¼ de círculo en cada una de las esquinas. Los aspersores deben cubrir una determinada superficie, según las indicaciones del fabricante, y si no alcanza se colocan aspersores accesorios.

Los aspersores pueden distribuirse según figuras geométricas como triángulos, cuadrados y rectángulos. Esto lo diseñará un especialista técnico en riego, que a su vez llevará a cabo la instalación del sistema de riego por aspersión y su mantenimiento.

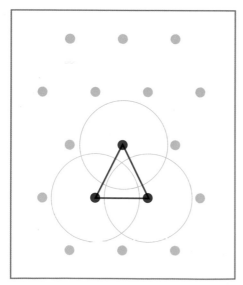

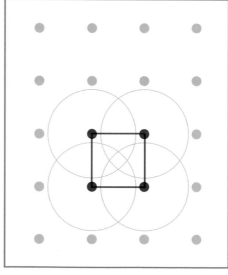

Diagrama de triángulos para la distribución de los picos rociadores.

Diagrama de cuadrados para la distribución de los picos rociadores.

Detalle de tobera trabajando en la distribución del agua en una película muy fina.

Riego por aspersión de tipo aéreo y móvil (New grass). *Sistema rodante con una estructura metálica, grandes ruedas, carrete que soporta el metraje de cañerías en su desplazamiento, conductores de agua a los aspersores y tanque acopiador de agua.*

Formas de economizar el agua del suelo

- Contenido adecuado de materia orgánica (humus) que obra como una esponja reteniendo el agua recibida con los riegos.

- Tipo de suelo: suelos ligeramente arcillosos y suelos francos bien provistos de materia orgánica, retendrán el agua en mayor cantidad que un suelo arenoso.

- Reparación del suelo: uso de enmiendas (mantillos, compost, estiércol descompuesto, humus de lombrices, rastrojos y abonos verdes).

- Un suelo bien preparado retendrá el agua de riego en una estructura granular, con numerosos micro y macroporos.

5. Drenaje y aireación

Como ya se mencionó, el suelo esta constituido por un 25% de fase gaseosa (aire), un 25% de fase líquida (agua), un 45% de materia mineral y un 5% de materia orgánica. Para que el suelo funcione adecuadamente, estos porcentajes deben encontrarse en forma equilibrada y armónica. Cuando ciertos factores como las lluvias continuas ocupan todos los espacios entre partículas, la fase líquida es total y la gaseosa es desplazada. Se dice entonces que el suelo se encuentra en estado de saturación y, cuando este estado se hace permanente, las raíces se pudren.

Por el contrario, cuando por acción de las sequías continuadas la fase líquida no existe y en cambio todos los espacios entre las partículas o poros del suelo se encuentran ocupados por el aire, las raíces se marchitan.

En el caso del césped, estas situaciones anormales enseguida producen síntomas de marchitamiento o amarillamiento, por la gran densidad del cultivo, por eso son tan importantes las técnicas de drenaje y aireación.

Drenaje

El drenaje es un método para controlar el agua. Es necesario cuando por el tipo de suelo no se puede eliminar el agua sobrante.

El drenaje puede hacerse por:

a) Zanjas o canales abiertos y superficiales: el drenaje por zanja a cielo abierto es práctico y rápido para realizar, marcando los puntos más altos y bajos del terreno, el trazado de la zanja. Se cava hasta una profundidad de 40 cm y se coloca en el piso cascote de ladrillo. El agua circundante es "chupada" creándose un flujo de agua hacia la zanja y así se drena el terreno.

b) El que se realiza en el subsuelo por medio de tubos subterráneos: se practica en céspedes tipo pradera porque de lo contrario se destruiría el tapiz de un césped fino.

c) Sistema de cañerías de drenaje: este tipo de drenaje subterráneo es muy costoso y sólo lo utilizan las canchas deportivas de fútbol, rugby, tenis sobre césped, etc., en donde se requiere una utilización continua del césped. Se realiza de diversas formas: en diseños como espina de pescado, caso de las canchas de fútbol, donde una línea central de cañerías se comunica con líneas laterales que reciben el agua y la llevan a colectores terminales, quedando el agua rápidamente desalojada. También se pueden utilizar cañerías colectoras laterales que llevan el agua fuera de la cancha.

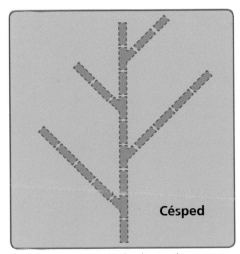

Drenaje subterraneo en espina de pescado.

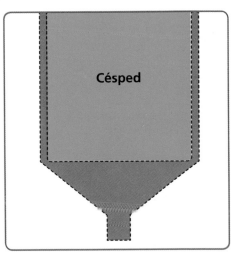

Variante con dos laterales y sus respectivos colectores.

Cajas drenantes.

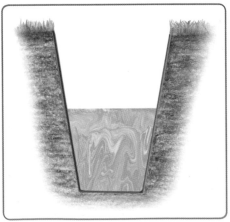

Drenaje a cielo abierto.

El agua de lluvia y los riegos se incorporan al suelo y al no poder ser absorbida el agua en su totalidad se producen encharcamientos que perjudican el crecimiento de las plantas.

En parques y jardines, el agua puede ser desalojada mediante las cajas de drenaje, que son excavaciones de 40 cm x 40 cm x 50 cm de profundidad, que se colocan previa determinación de los lugares más bajos del jardín. Cuando después de una lluvia queda el agua en la superficie, está indicando el lugar más bajo.

La caja se realiza excavando el terreno y colocando partículas de distinto grosor desde la base hasta arriba, dejando un espacio de 20 cm para la tierra negra humífera en la superficie donde se siembra o se planta el césped.

Aireación

El objetivo es romper la capa compactada del suelo en los primeros 15 ó 20 cm para facilitar la circulación del aire y el agua, y permitir el desarrollo radicular.

La cifra ideal es de 25% de aire y 25% de agua en el suelo, alternándose en máximos y mínimos según las épocas de sequía y de lluvias continuas, donde el agua ocupa el lugar del aire en los poros.

Técnica de aireación

Para airear el suelo hay que practicar orificios o hendiduras con algún elemento como una varilla de hierro de diámetro de 1 cm aproximadamente, introducirla unos 20 a 30 cm de profundidad, en condiciones de humedad del suelo y en varios puntos de la carpeta del césped. Lo ideal es que este orificio no se cierre con las lluvias o el riego por lo cual habrá que llenarlo con arena.

Esta es la forma más fácil de airear el suelo, rompiendo la compactación que se produce luego de un tiempo de implantado el césped. En suelos arcillosos fácilmente se compacta el suelo; en los arenosos el proceso es muy lento.

El suelo con una carpeta densa de césped va acumulando residuos con el tiempo (hojas, raíces, insectos, etc.). Esta capa de residuos primero es superficial y con el tiempo se profundiza formando una costra compacta que impide el traslado del agua y el desarrollo radicular; esto hace que los daños sean más graves.

Los residuos compactados se deben eliminar para que haya mayor posibilidad de aireación en las capas superficiales.

La primera acción a realizar es el pasaje de las escobillas de alambre y mejor aún los rastrillos de dientes derechos, que realizan el escarificado de la superficie.

El trabajo se realiza a fines de la primavera y fines del verano por los residuos de la etapa de mayor crecimiento vegetativo, y a fines del otoño.

Escobillas.   Rastrillos.   Escarificadores.

Cuando el césped ya tiene unos años de implantado (el tiempo es variable), los residuos de raíces muertas, detritus, etc., se acumulan y si el suelo en cuestión es arcilloso, plástico, pesado o con déficit de materia orgánica, el problema es mayor y pronto aparecen los síntomas que se traducen en amarillamiento y falta de vigor de las plantas. Esto depende de muchos factores como el tipo de suelo, las especies utilizadas, la temperatura y el mantenimiento.

El problema se origina inicialmente con la formación cerca de la superficie de una combinación de raíces con tierra y residuos que provoca el fieltro o thatch, que impide que el agua descienda hasta las raíces, quedando la zona endurecida y sin agua. Esto es muy difícil de erradicar. Los métodos corrientes son la aplicación de máquinas y elementos que corten esta capa.

Hay varias formas de hender o perforar el suelo:

1) Punzado: se hiende el suelo con varillas, horcas, etc. hasta 7 ó 10 cm de profundidad a comienzos de otoño.

2) Perforado: clavando púas hasta una profundidad de 5 cm, con rodillo de púas.

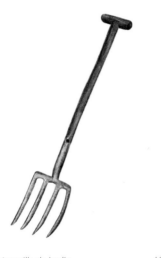

Horquilla de jardín.

Horquilla de púas huecas.

Cilindro con púas que perforan de 1 a 4 cm en el césped.

Perforado con cilindro de púas largas en hileras en verano.

Perforado con cilindro que lleva hileras de ruedas estrelladas.

CAPÍTULO
5
Plagas y
enfermedades

Capítulo 5

Plagas y enfermedades

Cómo controlarlas

Tanto las plagas (organismos animales y plantas) como las enfermedades (hongos, bacterias, nematodos y virus) producen daños, algunas veces severos, en el césped. Por eso, frente a su posible aparición, es conveniente estar atentos y saber cómo controlarlas.

Plagas

Las plagas del césped son tanto los insectos como los animales y malezas.

Los insectos que atacan el césped se encuentran bajo tierra y los más comunes son los gusanos blancos, que son estados larvales de varias especies de escarabajos (coleópteros) como:

- Bicho torito o bicho candado (*Dilobderus abderus*) (coleóptero *scarabeidae*): escarabajo que lleva en la cabeza una especie de frente con dos prominencias coriáceas negras, que le da el nombre de "torito" o "bicho candado". Es muy común encontrarlo en el césped cuando se abren pozos de 20 a 30 cm de profundidad. Allí viven protegidos del invierno y en primavera salen con las brotaciones de las plantas. Las larvas son gruesas, blancas y de unos 3 a 4 cm de largo, con aparato bucal masticador y muy voraces, destruyen las plantas en primavera.

- *Melolontha melolontha* (coleópteros *scarabeidae*): las larvas desarrolladas tienen de 4 a 5 cm de largo, son de color blanco sucio, de aspecto como grasiento, con tres pares de patas delanteras o torácicas, encorvadas. Tienen cabeza más o menos oscura y chica, con la parte posterior muy ensanchada. Comen raíces y se hallan a 30 cm de profundidad.

También pueden encontrarse ciertos lepidópteros (mariposas) como el *Agrostis spp.* y el *Peridroma saucia*, ambos gusanos cortadores que comen las raíces de los céspedes y se alojan a 20 cm de profundidad, aproximadamente.

Gusanos del suelo (larva apoda de coleóptero).

Larva de coleóptero blanca a blanco amarillenta, gruesa, carnosa, con cuerpo arqueado, cabeza desarrollada y tres pares de patas delanteras. Melolontha, muy voraz, se alimenta de las raíces, rizomas, etc., del césped.

Control mecánico de gusanos del suelo

Cuando la plaga es muy importante se debe pasar un rototiller por la capa superficial y así se logra destruir los nidos y los gusanos. Esto se hace desde la primavera al otoño, en céspedes ya destruidos por la plaga y con el objetivo de volver a sembrar. Para esto se utilizan productos químicos como: carbaryl, diazinon, clorpyrifos y dimetoato.

Plagas del césped

Insectos

Se deberá controlar la aparición de insectos en forma periódica, ya que una plaga difundida en forma total es muy difícil de controlar y erradicar.

Las plagas del césped comprenden los insectos y sus formas larvales que se desarrollan bajo la superficie del suelo y se alimentan a costa de los rizomas, estolones y raíces de las gramíneas, provocando áreas peladas, falta de color y vigor en las plantas.

Para identificar la plaga habrá que observar los signos externos como amarillamientos, césped desgastado, falta de vigor, etc., y una vez identificado el problema habrá que ubicar los lugares y con una pala extraer una muestra de tierra.

Para su identificación se riega el césped con solución jabonosa y así se obliga a las larvas a salir a la superficie. Se combaten con carbaryl (2 cm³/100 m2).

Una plaga muy importante sobre todo en los campos de golf es el grillo topo *(Scapteriscus borellii)* que hace sus galerías y nidos hasta una profundidad de 40 cm, cavando con sus fuertes patas delanteras. Se alimenta del césped y provoca serios problemas en la superficie, pozos, peladuras, falta de uniformidad, túmulos o gránulos de tierra al igual que las hormigas.

Para su detección se deben preparar soluciones jabonosas con jabón blanco y agua, y regar los lugares que presentan signos. Con la aplicación de esta solución, los insectos emergen hacia la superficie y una vez constatada su presencia se controla con clorpyrifos, agroquímico muy tóxico, con el cual deben tomarse precauciones (botas de goma, overol de trabajo, máscara para ojos nariz y boca). Cabe destacar que deben lavarse las partes expuestas, manos, cara, etc. con agua limpia y jabón una vez terminada la tarea y también todos los elementos utilizados.

Hormiguero (Acromirmex lundi).

Perforación realizada por gusanos blancos.

Grillo topo (Scapteriscus borelli).

Lombrices de tierra

Otros organismos muy comunes son las lombrices de tierra, que desde el punto de vista de la materia orgánica y la aireación del suelo resultan de interés, no así por la destrucción de la capa superficial del suelo, los canales que forman, las raíces que atacan y el medio propicio que crean para las enfermedades.

Animales domésticos

Otras plagas del césped son los animales domésticos (perros y gatos) que perjudican el césped de diversas maneras: por sus orines y excrementos sólidos, por los pozos que escarban en el césped, por las peladuras producidas por las corridas, por los juegos, etc. Si se quiere tener la carpeta impecable, se deberá tener a los animales en un lugar definido del jardín.

Pájaros

En la época de la siembra es bueno colocar latitas que se muevan con el viento colgadas de una soga y sostenidas por estacas, ya que los pájaros se alimentan de esas semillas escarbando la superficie lisa y uniforme.

Otra solución es rodear el césped con una malla plástica de ojo de 2 ó 3 mm, sostenida por cuatro o más estacas y que rebalsen sobre el suelo, para impedir que entren los pájaros por esa abertura. También es preciso sellar los bordes con tierra.

Control químico de las plagas más comunes en el césped	
Plagas	**Control químico**
Coleópteros (larvas)	Carbaryl, 2 cm^3/100 m^2
Gusanos blancos, bicho torito (*Dilobderus abderus*) en invierno están a 30 cm de la superficie. En primavera salen para alimentarse de raíces y tallos.	Clorpyrifos, 10 cm^3/100 m^2
Gusano blanco (*Melolontha melolontha*).	Clorpyrifos, 10 cm^3/100 m^2
Gusanos alambres (estado larval) (*Conoderus sp*) que se alimentan de las raíces del cuello de la planta.	Clorpyrifos, 10 cm^3/100 m^2
Hormiga negra común; hormiga podadora (*Acromimex lundi*).	Mirex, siguiendo los caminos de las hormigas (no aplicar si puede llover).
Hymenópteros: deterioran el césped, destruyendo las raíces, haciendo canales en el suelo y dejando cúmulos de tierra que también deterioran las raíces.	Clorpyrifos en la boca del hormiguero; se pueden destruir los nidos cavando y haciendo un barro con agua.
Grillo topo (larvas) - *Scapteriscus borelli (Scapteriscus vicinis);* - *Orthopteros.* Las larvas se alimentan de las raíces del césped dejando áreas amarillentas enteras. Los adultos cavan galerías donde depositan los huevos en el nido y destruyen hasta los 30 cm de profundidad las capas superficiales del suelo. Para identificarlos se riegan las zonas con jabón blanco o con detergente y se los puede observar; tienen patas delanteras poderosas que usan para cavar; miden 4 a 5 cm de largo y son de color castaño amarillento. Sobre el césped dejan túmulos de tierra gruesa.	Clorpyrifos; se riegan los lugares afectados y luego se agrega agua para que se distribuya hacia las capas profundas.
Lombrices de tierra (*Lumbricus terrestris*).	Carbaryl, 2 cm^3/100 m^2

Malezas

Es importante considerar a las malezas como una plaga muy peligrosa del césped que debe controlarse en distintos momentos, por ejemplo, durante la época de la preparación del terreno antes de la siembra, tratando de que queden expuestas al sol los rizomas, raíces y estolones.

El calor del sol deshidrata estas partes de las malezas perennes y luego cuando quedan deshidratadas y secas, se llevan al mantillero. Lo mismo se hace en invierno con las malezas que se dejan expuestas a las heladas.

El mantillero se prepara a partir de restos verdes que se van disponiendo en capas (estratificando) junto con otras de tierra (3 ó 4 cm de espesor) hasta terminar con todos los residuos del jardín. El producto final se recoge al año y es un material muy rico en materia orgánica, parecido a la resaca, que se usará en la resiembra del césped y en la preparación de los lechos para siembra (gajos y entepado).

Terreno atacado por malezas.

Terreno invadido por Trifolium repens.

Control de plagas

El control de plagas se debe encarar teniendo en cuenta varios factores:

- La observación continua y preventiva de aparición de insectos, formas larvales, etc.

- El control de las malezas dentro de la carpeta del césped desde la preparación del terreno, dejando las malezas expuestas al sol durante el verano y al frío y heladas en invierno. Se da una vuelta del pan de tierra y se dejan arriba en la superficie los rizomas, raíces gemíferas, estolones, etc. pues así pierden turgencia y se secan.

- El control de las malezas en los terrenos adyacentes mediante un corte periódico para evitar que se desarrollen, fructifiquen y que las semillas se introduzcan en el césped.

- Cuando el césped está rodeado de borduras florales, se deben tapar con manto plástico y aplicar herbicidas selectivos (2, 4D, MCPA, etc.) sobre el césped.

- Cuando el espacio es reducido o mediano, extraer las malezas con carpidor, azada y azadín, tratando de hacerlo cuando las malezas tienen poca altura y desarrollo, porque de lo contrario se producen pozos en el césped.

- Evitar dejar demasiados residuos sobre la superficie del césped ya que son lugares propicios para la instalación de insectos y hongos. Además le quitan al césped el aprovechamiento solar.

- Respetar la existencia de sapos en el jardín ya que son aliados en la lucha biológica contra las plagas. Se alimentan de larvas de insectos, hormigas, etc.

- Tratar de tomar todas las medidas posibles antes de aplicar un herbicida para eliminar las malezas, teniendo en cuenta la preservación del medio ambiente y la salud del operador, sobre todo en el caso de técnicos jardineros que realizan tareas de mantenimiento repitiendo estas prácticas en forma periódica.

- Recordar que los tóxicos usados continuamente por un aplicador dejarán en la mayoría de los casos acciones residuales, que se traducen en problemas crónicos de la piel, dolores de cabeza, etc. debiendo realizar una consulta con el médico toxicólogo periódicamente.

Después de cualquier aplicación con agroquímicos lavar cara, manos y piel expuestas con agua y jabón. Lavar la ropa con agua y jabón blanco. Usar guantes de látex, botas de goma y ropa adecuada que cubra los brazos, el tronco y las piernas.

- Se deberán conocer primero las malezas existentes y luego tomar las medidas para combatirlas; no obstante con los cortes periódicos del césped se puede controlarlas ya que la mayoría de las malezas desaparecen por agotamiento.

- Un césped bien cuidado, con suelo aireado y buen drenaje, tendrá mucho menos posibilidades de ser atacado por las plagas y enfermedades en general.

- Una buena selección de especies para el césped, donde se tenga en cuenta el lugar, el uso, el tipo de suelo y las variedades, contribuye al éxito de la tarea del cuidado y mantenimiento de los aspectos sanitarios.

- Leer detenidamente los marbetes o etiquetas de los productos insecticidas, fungicidas

y herbicidas para conocer el grado de toxicidad y las precauciones a tomar, así como las fechas de vencimiento del producto.

- Aplicar siempre las cantidades recomendadas, no exceder las dosis indicadas.

- Cuidar los animales domésticos y las colmenas. Cuando se usen agroquímicos retirarlos del lugar de aplicación. Utilizar las horas frescas de la mañana para evitar quemaduras en las plantas y el aumento indirecto de toxicidad que causa la elevación de la temperatura en el aplicador.

- Lavar los recipientes con agua y jabón.

- Los envases vacíos deben ser enterrados, para evitar usos posteriores.

Enfermedades

Las enfermedades más comunes que atacan al césped son producidas por hongos. Los hay de ataque interno que se desarrollan dentro de las plantas y de ataque externo que se depositan sobre las hojas y los tallos; estos últimos son los menos peligrosos. Para estos hongos se pueden aplicar funguicidas de contacto, pero para los de ataque interno habrá que aplicar los funguicidas de tipo sistémico que circulan por toda la planta. Los hongos forman filamentos microscópicos que constituyen el micelio, muchos son visibles como el del oidio; en cambio otros después de un tiempo fructifican formando órganos grandes como los hongos de sombrero, que producen el "corro de brujas" en céspedes compactados, húmedos y con temperatura templada.

Césped atacado por hongos, mostrando un efecto de peladura.

Hongo Coprinus serratus.

Conjunto de hongos distribuidos en círculos (corro de brujas).

Grupo de hongos basidiomicetas.

Hongos de sombrero sobre el césped; el micelio o parte vegetativa del hongo se desarrolla por debajo.

Ataque de hongos en césped.

Hilo rojo (hongo Corticium sp) en Lolium perenne

Manchas distribuidas por el césped, pudrición, fusariosis (hongo Fusarium sp) en Poa pratensis.

Puntuaciones rojas del hongo Puccinia graminis (Roya) en Poa pratensis.

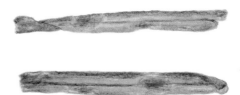

Manchas rojizas alargadas (hongo productor de la antracnosis) en Poa pratensis.

Manchas redondeadas marrones producidas por Sclerotinia sp (mancha dólar) en Cynodon dactylon.

Mancha de carbón (hongo) en Poa pratensis.

Chlorophyllum molibditis. *Es un hongo comun en praderas y tóxico.*

También el césped sufre el ataque de nematodos, bacterias y virus como los causantes del mosaico de las gramíneas y enfermedades producidas por cambios climáticos: fríos intensos y temperaturas elevadas, apareciendo amarillento y decaído.

Enfermedades más comunes del césped

Especie	Síntomas	Hongos
Agrostis stolonifera	Hongos de sombrero que producen un anillo sobre el césped.	Corro de brujas.
Poa pratensis	Grandes superficies circulares amarillentas en períodos húmedos y calurosos. Manchas de 2 a 5 cm de diámetro.	Necrosis producidas por *Pythium* y otros hongos del suelo.
Lolium perenne	Manchas en las hojas amarillentas y paralelas a las nervaduras, con excrecencias negras.	Carbón de la hoja.
	Crecimientos fúngicos de color naranja o rojo	Hilo rojo *(corticium).*
Poa pratensis	Manchas amarillas en las hojas con pústulas rojizas.	Roya (pústulas rojizas).
	Pudrición basal del tallo, aspecto mojado, luego oscurece.	Antracnosis.
	Pudrición de las raíces.	Fusariosis.
Stenotaphrum secundatum	Grupos circulares de plantas marchitas.	Mancha parda *(Rhizotocnia).*
Cynodon dactylon *Poa pratensis* *Agrostis stolonifera*	Manchas circulares pequeñas amarillo/blanquecinas con bordes pardos rojizos.	Mancha dólar *(Sclerotinia sp).*

Césped con infección fúngica.

Jardín lateral de una casa con césped atacado por hongos.

Enfermedades, control químico y características

Enfermedades	Control químico	Características
Pythium y otros hongos (Rhizotocnia) del suelo	Zineb; Fosetyl-A	*Damping off*, 24-48 horas, produce la muerte de plántulas de césped, generando manchas de tipo aceitoso. Ataca comúnmente en épocas húmedas con temperaturas superiores a los 21 °C; las plantas caen por el corte que hacen los hongos a nivel del cuello de las mismas.
Roya *(Puccinia sp)*	Zineb cada 15 días; Triadimefon	Céspedes de *Poa pratensis* son muy susceptibles; se presenta como pústulas de color naranja en el envés de las hojas entre las nervaduras, a fines del verano.
Fusariosis (Fusarium roseum)	Tiabendazol; Benomil cada 15 días	El hongo vive debajo de la superficie del suelo, ataca raíces y cuellos de las plantas.
Fusariosis (Fusarium roseum)	Maneb	Los *Agrostis* son muy sensibles a esta enfermedad que se manifiesta por amarillamiento y luego un tono blanco grisáceo.
Anillo de brujas; hongo basidiomiceta; *Marasmius oreades*	Sulfato de hierro	El césped aparece con un gran círculo verde más oscuro en los bordes y con los hongos de sombrero que siguen el círculo; son blancos grisáceos y de unos 10 cm de altura, con un sombrero abierto de 8 a 10 cm de diámetro. Aparecen en suelos muy compactados de césped, y cuando se dan las condiciones de humedad fructifican. Los micelios se distribuyen en todo el césped hasta unos 20 cm de profundidad, produciendo manchas amarillentas de césped muerto.
Mancha dólar *(Sclerotinia sp)*	Triadimefon	Manchas pequeñas hundidas y circulares (3 cm de diámetro) se unen y forman manchas mayores, amarillentas y blanquecinas con márgenes pardos rojizos.

Recomendaciones

- *Mantener el suelo bien drenado y aireado.*
- *Incorporar las enmiendas necesarias en la época del otoño sobre zonas gastadas.*
- *No agregar fertilizantes de más, seguir un control del estado del césped.*
- *No realizar cortes demasiado bajos y continuados que quitan reservas y promocionan enfermedades.*

CAPÍTULO

6

El césped
en el diseño
del jardín

Capítulo 6

El césped en el diseño del jardín

Integración del jardín con el paisaje

Desde el punto de vista del diseño, el césped es el plano horizontal que integra y realza las distintas composiciones del jardín y el componente que más cuidados exige durante el año.

El césped ha pasado por una serie de etapas en su evolución desde la época de los *parterres* en el Renacimiento (siglos XIV a XVI) —donde constituía el complemento para el lucimiento de obras escultóricas, fuentes, etc.—, hasta el presente. Hoy en día existe una tendencia que introduce la naturaleza en el jardín, y el césped "pradera" adquiere una importancia cada vez mayor, dejando de lado el anterior concepto basado en "vencer a la naturaleza", y adoptando controles periódicos de crecimiento del césped para evitar su desarrollo, y así limitarlo y ordenarlo.

El criterio de muchos paisajistas ecologistas actuales es el de la integración del jardín con el paisaje, en forma libre, natural, donde las plantas compiten unas con otras logrando imponerse las más fuertes y desapareciendo las más débiles. Por ello, es importante el uso de especies nativas que son controladas espontáneamente por la flora y la fauna del lugar.

La nueva concepción en el diseño de jardines no sigue la postura romántica y sentimental de la naturaleza, sino la idea de conservar el equilibrio con el ambiente, sin forzarlo ni cambiarlo según las modas. Estos jardines están asociados a los conceptos de la ecología.

En la naturaleza, las plantas se encuentran siempre asociadas por factores comunes como el suelo, la temperatura y el clima que reúnen a las especies afines en comunidades. Por ejemplo, las plantas de las sierras son bajas, volcándose sobre las piedras; las de las zonas frías y desérticas de la Patagonia argentina tienen escasa altura por los vientos muy fuertes que soplan en la región y por la pobreza de los suelos; las de las selvas húmedas son exuberantes; las plantas de los desiertos son rústicas y soportan las sequías gracias a sus tejidos que almacenan el agua; y las plantas acuáticas se reúnen en los ríos y arroyos, bajo el factor común que es el agua.

Por el contrario, la asociación en base al color de las hojas y/o flores o por la forma de la plantas es de mucho artificio y responde a cánones estéticos.

Desde hace unos años existe en el mundo una corriente ecologista o ambientalista con representantes en varios países europeos como el ya mencionado biólogo y paisajista holandés Jac Thijsse que en 1925 creó el llamado Jardín Natural cerca de Haarlem (Holanda), caracterizado por la inclusión de bosques y praderas cerca de las viviendas o en los paseos públicos.

En estos casos, se elimina la intervención de los jardineros y las plantas llegan a un equilibrio natural y se resiembran solas pues responden a un comportamiento natural de competencia entre ellas. Pero con el tiempo se reconoce que el mantenimiento es casi tan importante como la creación del paisaje.

John Brookes —actualmente el diseñador de jardines paisajistas más destacado de Inglaterra—, en su libro *Jardinería y Paisaje* dice: "No habría que preocuparse demasiado por las técnicas culturales que limitan las condiciones de crecimiento del césped, sino que lo mejor es guiarse por lo natural".

Así, ha nacido un nuevo enfoque de la jardinería, teniendo en cuenta el principio "liberador" del cuidado de las plantas que consiste en reducir la intervención del jardinero y permitir, hasta cierto punto, la resiembra espontánea.

Bloques de granito marcando límites en el césped.

Bloques de piedra separando cantero y césped.

Cancha deportiva. Vista del corte a dos alturas.

Césped en diseño paisajista, mostrando la preparación de una bordura apaisada o informal.

Césped entre placas de piedra en un acceso a vivienda. El camino es de poco tránsito, sino habrá que seleccionar otras formas de uso.

Césped sobre los huecos de bloques especiales de cemento en un estacionamiento de autos, como elemento suavizante de las superficies duras. Aquí también es un acceso de poco tránsito.

Césped entre listones de madera

Césped verde brillante bordeando canal de agua en un paseo público.

Acceso a garaje. Combinación de césped con cemento y ladrillo.

Listones de madera rústica intercalados con césped.

Combinación de césped y placas (blocks) de piedras en sendero al paso.

Vista de un césped bien cuidado en un jardín de una casa particular.

Ladrillos cortados en diagonal y enterrados para demarcar distintas áreas (cantero y sendero). Crea un área intermedia con un material muy natural integrado a las plantas y al suelo como son los ladrillos.

Césped en un parterre delimitado por una línea de Buxus a cada lado.

Césped en un paseo público (Parque Micaela Bastidas, Puerto Madero).

Binder (piedra de granito molido) al costado del camino.

Césped tapizando como un manto los escalones espaciados a la manera de terrazas de un espacio verde público.

Grava al costado del cantero.

Área intermedia creada con piedra bola junto al cantero.

Camino de granza en parque.

Separador del césped con piedras de basalto y granito rosado.

Bloques de granito y piedras blancas.

Instalación defectuosa de césped en estructuras plásticas hexagonales, no aptas para tránsito frecuente en un paseo público.

Sendero en un parterre, mostrando los sectores de plata-banda y cantero central cubierto de césped.

Terminación de jardinería en los ángulos rectos de un parterre cuadrangular.

Incorporación del césped en el diseño de un espacio verde

Para crear un espacio verde se deberán tener en cuenta varios factores importantes como la superficie, el uso, la ubicación y las especies.

1. Según la superficie cubierta

Espacios	Implantación	Objetivos
Reducidos, desniveles y exposiciones.	Por alfombras, tepes, gajos de *Bermuda grass, Kikuyo* y gramillón.	Cubrir áreas pequeñas y difíciles; reparar partes deterioradas de césped y realizar una implantación rápida.
Medianos (parques y jardines).	Semillas, gajos, tepes de *Bermuda grass, Rye grass, Kikuyo, Festuca* alta.	Formación de la carpeta de césped.
Extensos, (parques, clubes, campos (áreas recreativas).	Semillas, *Bermuda grass, Festuca arundinacea, F. rubra, Rye grass* perenne.	Formación de áreas verdes en clubes, campos, countries y cementerios. Es una solución más económica.

2. Según el tipo de césped

Especie	Implantación	Características
Agrostis stolonifera (*creeping bent grass*)	Semillas/gajos	Hojas muy finas, color verde ligeramente azulado; crecimiento lento para **green** de golf. Es de uso ornamental y también utilitario.
Agrostis tenuis (*Colonial bentgrass*)	Semillas	Hojas muy finas verde claro; green de golf, ornamental y utilitario.
Cynodon dactylon (gramilla)	Semillas/gajos tepes	Hojas de textura media a fina; color verde medio; sol; para áreas recreativas y deportivas.
Cynodon dactylon (híbridos Bermuda)	Gajos/tepes	Hojas finas a muy finas; sol; variedades resistentes al frío, rústicas y adaptadas a distintas condiciones; para green de golf y áreas recreativas.
Festuca rubra (*Red fescue;* cañuela*)	Semillas	Hojas finas verde oscuras; buenas raíces y agarre al suelo; para **green** de golf y áreas recreativas.
Festuca arundinacea	Semillas	Hojas gruesas verde oscuras; césped basto; crecimiento rápido; para áreas recreativas y deportivas; resiste el pisoteo.
Lolium multiflorum (*Rye grass* anual*)	Semillas	Hojas de textura media, color verde claro brillante. Se usa en las resiembras sobre céspedes de clima cálido, como *Bermuda, Kikuyo* o *Axonopus*.
Lolium perenne (*Rye grass* perenne*)	Semillas	Hojas de textura media brillante, color verde claro. Se usa en la resiembra sobre céspedes tropicales; se comporta como anual porque no soporta las bajas temperaturas y se pierde.
Paspalum notatum (*Bahia grass*)	Semillas/gajos	Textura gruesa; verde oscuro; suelos variados; para parques y jardines; áreas recreativas; y utilitario.
Pennisetum clandestinum (*Kikuyo*)	Semillas/gajos	Textura muy gruesa, color verde claro; césped basto; pleno sol; resistente; para áreas; invasor; utilitario.
Poa pratensis (*Kentucky blue grass*)	Semillas	Hojas de textura medianamente finas, color verde azulado; uso en campos deportivos, recreativos y uso ornamental.

Stenotaphrum secundatum (Gramillón; hierba de San Agustín)	Gajos/tepes	Hojas de textura gruesa, color verde oscuro; en suelos húmedos; media sombra; ornamental; uso en parques y jardines.

Tipos de coberturas

Especies	Utilitario	Ornamental
Agrostis stolonifera (Creeping bent)	*Green* de golf	Jardín color verde claro, ligeramente azulado *(parterres)*; exposiciones.
Agrostis tenuis (Colonial bent)	*Green* de golf	Jardines *(parterres)*, exposición; color verde claro; ligeramente azulado.
Festuca rubra ssp commutata (Chewing fescue)	Canchas de golf; canchas deportivas.	Exposiciones; verde oscuro; hojas rígidas; cementerios.
Festuca arundinacea (Festuca alta)	Canchas de fútbol; áreas recreativas (pisoteo).	Parques y jardines; verde medio intenso; cementerios y parques.
Híbridos *de Cynodon dactylon* (Bermuda grass)	Canchas deportivas; green de golf (var. 419 y otras).	Parques y jardines; cementerios; paseos públicos; color verde medio opaco.
Lolium perenne (Rye grass)	Canchas deportivas.	Parques y jardines; cementerios; verde medio brillante.
Lolium multiflorum (Rye grass anual)	Resiembras sobre céspedes de verano *(Bermuda, Kikuyo, Axonopus).*	Parques y jardines; color verde claro brillante; cementerio; paseos públicos.
Paspalum notatum (Bahia grass)	Áreas recreativas de poco pisoteo.	Parques y jardines; verde medio; paseos públicos.
Pennisetum clandestinum (Kikuyo)	Canchas deportivas (rugby); áreas recreativas (de pisoteo).	Parques y jardines; paseos públicos; color verde claro.
Poa pratensis	Canchas deportivas y áreas recreativas.	Parques y jardines; cementerios; paseos públicos; ligeramente verde azulado.

Cancha de golf donde se puede apreciar la alfombra densa y uniforme.

Diseño del césped

Pequeñas superficies

Para el diseño en pequeñas superficies se realiza un estudio de asoleamiento mediante las salidas y puestas del sol, la estación del año, la ubicación de la casa, las actividades que se realizan en ella, el tipo de suelo y los usos del césped.

Luego se realiza un croquis del terreno con ubicación de la casa y rumbo (exposición), con los datos recolectados en el estudio de asoleamiento y con los objetivos planteados; esto se debe confeccionar antes de elegir las especies y la forma de implantación.

La carpeta puede tener distintas formas:

1. Apaisada: para los jardines paisajistas. El césped sigue la forma dejada por los canteros de las borduras florales y arbustivas, generalmente se usan elementos flexibles como puede ser una manguera y luego se marca la forma elegida con pala filosa.

2. Geométrica o formal: el césped se ubica en un lugar determinado, de forma circular, rectangular, cuadrada, elíptica, etc. y generalmente conforma un *parterre* de césped y arreglos florales o un *broderie* (bordado).

a) Forma circular: se clava una estaca en el centro y se le sujeta una cuerda que en su extremidad lleva una estaca de hierro o algún elemento que funcione como un compás, con extremo filoso. Con este elemento se describe un círculo con el largo necesario dado por la cuerda que hace de radio del círculo.

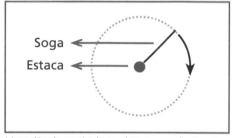

Marcación de un círculo en el terreno mediante estaca y soga.

b) Forma rectangular: se marcan cuatro puntos; un punto por cada vértice del rectángulo. Se clavan cuatro estacas en cada uno de los puntos y se ajusta la forma de la figura mediante el sistema de dos medidas iguales (catetos) y una desigual (hipotenusa). Por ejemplo: se marcan 3 m a partir de la estaca hacia un lado (cateto) y 4 m hacia el otro lado (el otro cateto); la hipotenusa deberá tener 5 m y encierra un ángulo recto.

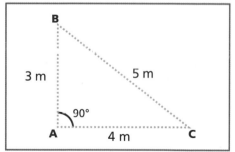

Marcación en el terreno de un ángulo recto por el sistema 3-4-5.

c) Forma cuadrada: los pasos son similares a la forma anterior, pero con cuatro lados iguales.

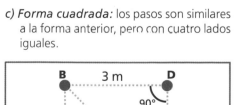

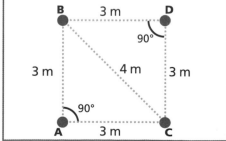

Marcación de 4 ángulos rectos para formar el cuadrado con todos los lados iguales.

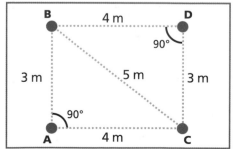

Marcación de 4 ángulos rectos para formar el rectángulo, con 2 lados iguales y 2 desiguales.

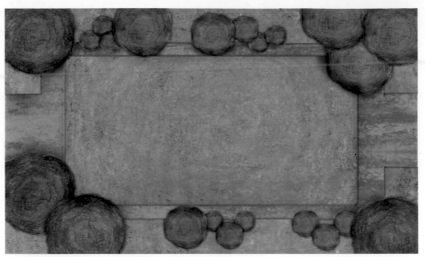

Parterre moderno.

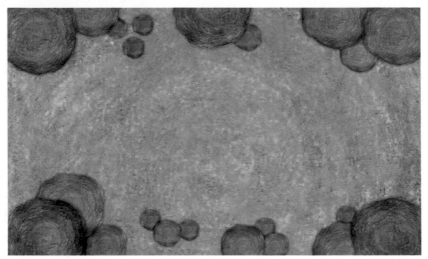

Diseño apaisado.

Parterre clásico.

Sendero en un parterre.

Césped pradera con flores de color rosado que dan una vistosa sensación de alegría.

Césped pradera; crocus en floración a fines de invierno sobre carpeta de césped.

Césped a la sombra de un árbol con plantas rodeando la base.

Acceso a espacio público con cubos de cemento en diseño combinado con césped no apto para tránsito frecuente.

Cancha de rugby; vista del césped.

Cancha de golf; vista del césped.

Cancha de golf donde se puede apreciar la alfombra densa y uniforme.

Césped de Festuca rubra en una media sombra del jardín.

Comercialización de los tepes tipo Sodim en viveros.

Césped tratado en forma especial sin cortes y apareciendo como en remolinos.

Césped pradera con Narcissus pseudo y Narcissus amarillos (narcisos trompetas) plantados en forma espontánea que expresan la libertad de la pradera.

Césped de Rye grass perenne mostrando su colorido verde brillante y muy claro dando luz al jardín.

Crocus iluminando con sus colores vivos el césped en un rincón algo oscuro del jardín.

Rye grass anual.

Césped en contraluz.

Rincón de césped y flores.

Glosario

Agregado: conjunto de partículas minerales del suelo que forman una masa que es unida por una sustancia o elemento cementante, como es el humus de la materia orgánica, el calcio, la humedad y los laboreos.

Agua gravitante o gravitacional: es el agua que se mueve por acción de la gravedad, no es retenida por el suelo y se drena a capas más profundas.

Amarillamiento: pérdida del color verde del follaje por diversos factores (exceso de agua, falta de agua, enfermedades, plagas, temperaturas bajas, etc.).

Asexual: vegetativo, sin órganos sexuales.

Asoleamiento: estudio de la marcha aparente del sol en las estaciones del año.

Aspersores: dispositivos que distribuyen el agua de riego finamente como lluvia, en un círculo entero o sólo en una parte del círculo.

Calcáreo o piedra caliza: rocas compuestas de carbonato de calcio.

Caña: tallo aéreo de las gramíneas.

Capa de fieltro: capa de deshechos de la planta formada por acumulaciones de raíces, estolones, cuellos y rizomas muertos.

Cariopse: fruto seco, indehiscente y uniseminado de las gramíneas.

Césped: tapiz vegetal herbáceo de escasa altura (por la poda) que cubre la superficie del suelo.

Cespitoso: que tiene aspecto de mata.

Ciclo vegetativo: período de crecimiento y brotación que comienza en primavera con el aumento de las temperaturas, humedad y longitud del día.

Clorofila: elemento químico fundamental para el proceso de la fotosíntesis. Es un pigmento que se encuentra en los cloroplastos de las células.

Clorosis: amarillamiento de las hojas producido por diversas causas como falta de nitrógeno, fósforo, hierro, etc. y acompañado por manifestaciones distintas, como crecimiento menor, hojas más chicas en el caso del nitrógeno, hojas amarillentas y nervaduras verdes en el caso del hierro.

Cohesión: propiedad característica de los suelos pesados, que presenta las partículas fuertemente unidas.

Corona: zona basal de las gramíneas donde se encuentran los meristemas de crecimiento.

Cuello: en una planta, zona entre la raíz y el tallo.

Deriva: acción del viento que en días ventosos expande el producto pulverizado sobre el césped, dañando plantas herbáceas y/o leñosas de los alrededores.

Drenaje: técnica para eliminar el agua sobrante del suelo que llega a ocupar todos los poros y a eliminar el aire. El buen drenaje es una condición característica de los suelos arenosos.

Enfermedad de los almácigos: o también denominada *damping off,* enfermedad producida por un conjunto de hongos del suelo, que provoca la muerte de las plantas después de que germinan.

Enmienda: materiales orgánicos e inorgánicos que se utilizan para corregir deficiencias en el suelo como por ejemplo: mantillos de jardín, compost, estiércol, humus de lombrices, etc.

Entrenudos: también denominados "internodios", es el espacio entre dos nudos en el tallo de las plantas.

Escarabajo: insecto de la tribu de los *Scarabeidae,* orden de los coleópteros.

Especie: conjunto de individuos semejantes y capaces de reproducirse entre sí.

Esporas: células reproductivas de los hongos.

Estolones: brotes laterales más o menos delgados que nacen de la base de los tallos del céped y se arrastran sobre la superficie del suelo.

Estructura: organización de las partículas del suelo en agregados. Los tipos más comunes incluyen agregados en terrones, granulares y prismáticos.

Fieltro (thacht): capa de raíces y residuos entrelazados con las partículas del suelo en céspedes de alta densidad y suelos compactos.

Fotosíntesis: proceso químico complejo en donde se produce la síntesis de los hidratos de carbono (glucosa) por la acción de la luz solar sobre las hojas de las plantas con la participación del pigmento verde o clorofila.

Gránulo: agregado del suelo con bordes redondeados, prevalece en los suelos buenos, ricos en materia orgánica.

Helicoidal: cuchillas de la máquina de cortar césped con forma de hélice.

Heliófilas: plantas amantes del sol.

Herbicida: producto químico destinado a destruir las malezas.

Hibridación: técnica para obtener un híbrido.

Híbrido: individuo obtenido por el cruzamiento entre dos especies diferentes.

Hongo: organismo carente de clorofila. Puede ser parásitos o saprofitos (viven de la materia muerta). Es muy común en las enfermedades de las plantas.

Horizonte superficial (horizonte "A"): capa del suelo que contiene la máxima actividad biológica, raíces, macro y microorganismos, etc.

Humus: parte bien descompuesta de la materia orgánica del suelo, que permanece estable.

Inflorescencia: conjunto de flores cuyos pecíolos parten del mismo eje.

Inflorescencia en espiga: inflorescencia en racimo en la cual las espiguillas están dispuestas sobre el caquis.

Lámina foliar: parte dilatada de la hoja que realiza la fotosíntesis.

Loes: material fino en el que predominan las partículas del tamaño de los limos (0,02 a 0,002 mm).

Macollo: brote que nace en la axila de la vaina foliar, en los nudos basales de las gramíneas.

Macronutrientes: elementos mayores o principales que intervienen en las funciones más importantes de las plantas (nitrógeno, fósforo y potasio).

Mancha: signo o exteriorización de una enfermedad que se manifiesta en su mayor parte en las hojas.

Mata: conjunto de vástagos de una misma planta gramínea que crecen muy próximos entre sí formando un manojo o haz.

Meristema: tejido cuyas células crecen y se multiplican.

Micelio: exteriorización del ciclo vegetativo de un hongo.

Micronutrientes: también denominados oligoelementos, que como activadores intervienen en pequeñas cantidades en las funciones de las plantas (hierro, cobre, zinc, manganeso, boro).

Nudo: lugar en el tallo desde donde salen las hojas.

Pan de césped o tepe: cuadrado o rectángulo de medidas variables (40 cm x 60 cm ó 20 cm x 10 cm, entre otras).

Papiráceo: con la textura y consistencia del papel.

Patógeno: organismo capaz de producir enfermedades.

Perfil del suelo: corte vertical desde la superficie del suelo hacia las capas inferiores, donde se pueden observar las distintas capas horizontes.

pH: medida de la acidez o la alcalinidad de un suelo. La escala se mide de 1 a 14, pero en las plantas ornamentales las gamas usuales de pH son: entre 4 y 6, ácido; 7, neutro; 7,5 a 8, alcalino; 6,5 a 7; ligeramente ácido; y 7,2 a 7,5, ligeramente alcalino.

Pústulas: eflorescencia u hongos que aparecen sobre las hojas en el envés, como la Roya de las especies cespitosas y las de los cereales. Se caracteriza por su color rojizo.

Radicante: tallo que crece apoyándose en el suelo al que se fija por las raíces adventicias que nacen en los nudos.

Raíz adventicia: nace fuera de su lugar normal; en las gramíneas lo hace sobre el tallo.

Rastrero: tallo que crece tendido sobre el suelo.

Reacción del suelo: se lo llama pH y está referido a las condiciones de acidez o alcalinidad del suelo. Depende de varios factores como el tipo de suelo, sus materiales originales, los cultivos y los factores climáticos.

Resiembra: actividad de volver a sembrar sobre los claros que han quedado en una carpeta de césped.

Rizoma: tallo adaptado a la vida subterránea, con las funciones de la raíz.

Siega: actividad relativa al corte del césped.

Talud: desnivel acentuado del terreno.

Tepe: pan de césped.

Uniseminado: fruto con una semilla.

Vaina: parte basal y ensanchada de la hoja que nace en el nudo y abraza totalmente al tallo en las gramíneas.

Variedad: grupo de individuos que dentro de la misma especie difieren en una o más características.

Bibliografía

Álvarez, Martha E, "Los espacios verdes de la Ciudad de Buenos Aires y su relación con la densidad de población y superficie" en *Boletín Ecológico de la Secretaría de Medio Ambiente, Municipalidad de Buenos Aires*, N° 13, Buenos Aires, 1990.

Brookes, John, *El Gran libro del Jardín*, Barcelona, Ediciones Folio, 1992.

Brookes, John, *Jardinería y Paisaje*, Buenos Aires, Editorial La Isla,1998.

Brookes, John, *Manual Práctico de Diseño de Jardines*, Buenos Aires, Editorial La Isla, 1995.

Coutanceau, Maurice, *Encyclopedie des jardins*, París, Larousse, 1974.

Del Cañizo, J. A. y González Andreu, R, *Jardines,* Madrid, Ediciones Mundi Prensa, 1986.

Enciclopedia Salvat de la Jardinería, Tomos II, VIII y XII, Barcelona, Salvat Editores, 1977.

Hessayon, D.G, *Césped. Manual de cultivo y conservación*, Barcelona, Blume, 1986.

La Nación, *Gran Diccionario Salvat*, Tomos I, II y III, Buenos Aires, La Nación, 1992.

Laurie, Michael, *Introducción a la arquitectura del paisaje*, Barcelona, Editor Gustavo Gilli SA, 1983.

Marzocca A., Marisco, O. J., Del Puerto, O., *Manual de Malezas*, Buenos Aires, Editorial Hemisferio Sur, 1976.

Merino, Domingo, Ansorena, Javier, *Césped Deportivo*, Madrid, Ediciones Mundi Prensa, 1998.

Millar, C., Turk, L., Foth, H., *Fundamentos de la Ciencia del Suelo*, México, Ed. CECSA, 1975.

Mitidieri, Agustín, Schoo, Héctor, Francesccangeli, Nora, Bianchi, Pablo, *Las malezas de los cultivos hortícolas, su identificación y control*, Buenos Aires, IV Edición Instituto Nacional de Tecnología Agropecuaria (INTA), Estación Experimental de San Pedro, 1986.

Pape, Heinrich, *Plagas de las Flores y de las Plantas Ornamentales*, Barcelona, Ediciones Oiko-tau SA, 1977.

Parodi, Lorenzo, "Botánica sistemática" en *Enciclopedia Argentina de Agricultura y Jardinería*, Buenos Aires, Ediciones Acme Agency, 1974.

Petetin, Carlos A., *Clave ilustrada para el reconocimiento de malezas en el campo al estado vegetativo*, Buenos Aires, Colección Científica del INTA, 1977.

Picasso, Gustavo, Méndez, Martín, *Manual Argentino de Césped*, Buenos Aires, Tierra Editora, 2000.

Rizzo, Horacio F., *Catálogo de insectos perjudiciales en cultivos de la Argentina*, Buenos Aires, Editorial Hemisferio Sur, 1977.

Ros Orta, Serafín, *La empresa de Jardinería y Paisajismo. Conservación de espacios verdes*, Madrid, Ediciones Mundi Prensa, 1996.

Smiley, R., Dernoeden, P., Clarke, B., *Plagas y enfermedades de los céspedes*, Madrid, Ediciones Mundi Prensa, 1996.

Swartz, Héctor, "Fertilización del Césped" en *Ayudas Didácticas*, Curso de Suelos, Carrera Técnica de Jardinería, Buenos Aires, Facultad de Agronomía de la Universidad de Buenos Aires, 1999.

The Royal Horticultural Society, *El cuidado del césped y el jardín*, Barcelona, Folio, 1992.

Zulueta SA, *Semillas*, Madrid, Ediciones Mundi Prensa, 1992.

Índice

Todos somos guardianes de este planeta durante nuestras cortas vidas, y todos podemos cuidar de nuestra parcela de tierra. Si nuestros jardines pueden desarrollarse de forma más natural, en sintonía con su lugar específico, contribuiremos a un hábitat mucho más sano que heredarán las generaciones futuras.

John Brookes

EDITORIAL
ALBATROS